POELIE DE VERSCHRIKKELIJKE

De kip die over de soep vloog (1989)
De aanraking (1990)
Het Albanese wonderkind (1991)
Rijke mensen hebben moeilijke maten (1993)
Ongeluk is ook een soort geluk (1995)
De hospita's (1996)
Vijf laatste verhalen (1999)
De Heer slaapt met watjes in zijn oren (2004)

FRANS POINTL

POELIE

DE VERSCHRIKKELIJKE

[KATTENVERHALEN]

NIJGH & VAN DITMAR | AMSTERDAM
2008

www.nijghenvanditmar.nl

Copyright © Frans Pointl 2008
Omslag en boekverzorging Piet Schreuders
Foto's omslag en schutblad © Piet Schreuders
Foto auteur © Hans van den Boogaard/Hollandse Hoogte
NUR 301 / ISBN 978 90 388 9069 2

Inhoudsopgave

Het goudgroene oog

Ongeveer zeven jaar ben ik. Onze acht katten zijn mijn speelkameraadjes. Onze logeerkamer aan de voorzijde is als kattenkamer ingericht. En dat weten ze. Natuurlijk, ze lopen door het hele huis, maar in díe kamer staan de etensbakjes, de kattenbakken, de rieten manden met kranten erin waar je als kat zo lekker op ligt. Onder aan die kamerdeur is een klepje. Onder aan de keukendeur ook, zodat de dames en heren altijd hun huis in kunnen.

We hebben ook een schildpad, toch iets bijzonders omstreeks 1939. Meneer P., mijn zogenaamde vader, houdt niet zo van katten. De schildpad – die naamloos is – is zijn inbreng. Wellicht voelt meneer P. zich verwant aan dat dier vanwege zijn traagheid maar vooral vanwege de dikke huid en het schild. Soms is de schildpad dagenlang op stap en plotseling ligt hij weer op ons grasveld of in mijn zandbak te suffen. Hij houdt van sla- en koolbladeren. Af en toe krijgt hij een beetje melk.

Meneer P. vindt het onprettig als de katten miauwend en kopjes gevend langs zijn benen strijken. Trappen zal hij ze niet, hooguit een venijnige duw geven.

De helft van onze katten zijn aanlopertjes, de andere helft krijgertjes. Als het een kat betreft kan moeder geen nee verkopen.

Enkele van onze dieren zijn niet gecastreerd of gesteriliseerd. Alleen als een kat een vogeltje heeft gevangen spreekt moeder hem berispend toe. Ik moet haar roepen als er een met een dode mus of muis mijn zandbak in komt.

Omdat de buren wel eens over overlast klagen hebben we een hoge heg rondom onze tuin. De schildpad kruipt eronderdoor, de katten springen eroverheen.

Een geïrriteerde overbuurvrouw belt bij ons aan. Ik ben bang voor haar, voor haar zware stemgeluid, voor haar grote grijze tanden. Als stukken touw liggen de aderen op haar handen. Op haar dikke benen zitten paarse vlekken. Ze verspreidt een zurige geur. Moeder zegt dat ze ouder is dan Sinterklaas.

'Mevrouw, mijn rozenperkje is gedeeltelijk vernield en het stinkt er. Gisteren zag ik daar een kat.'

Vriendelijk verzoekt moeder haar die kat nauwkeurig te beschrijven, steeds meer details wil ze weten. 'Was het een cyperse met korte witte sokjes aan de voorpoten, lange witte sokken aan de achterpoten en een grote witte bef?'

We hebben katten in allerlei kleuren. Er is een lapjeskat bij, Vlek, en een peenkleurige die Wortel heet.

'Had de kat een stompje in plaats van een staart?'

We hebben onlangs een cyperse kat van de kruideniers-vrouw gekregen omdat hij volgens haar 'uit een vals nest' komt.

Het dier heeft ooit een ongeluk gehad waardoor driekwart van zijn staart werd afgekneld.

De overbuurvrouw wordt onzeker door al die vragen. 'Ik geloof dat die kat een normale staart had, de pootjes kon ik niet zien want hij stond tussen de rozenstruiken. Hij had zo'n tekening als van een gestoomde makreel zal ik maar zeggen.'

'Dan is het niet een van onze katten geweest,' beweert moeder.

Inmiddels is mijn vader vertrokken, hij woont nu bij een rijke dame in Den Haag. Ineens is het veel prettiger in huis, ook in de tuin, waar je de populier weer hoort ruisen. Het lijkt wel alsof zelfs de bloemen het weten, die geuren zoeter. Moeder zegt dat ze eindelijk weer adem kan halen.

Al bijna drie maanden hebben we er vier jonge poesjes bij. Moeder plaatst een advertentie in het *Haarlemsch Dagblad*. Er komen brieven op.

We gaan naar Haarlem. We hebben een korfje bij ons met een rossig poesje erin, een van de jongen van Wortel.

Voor het postkantoortje aan de Binnenweg wachten we op de tram, dat is maar één wagen, donkerblauw, breed en vooral hoog. Tijdens het rijden schommelt hij een beetje. Moeder heeft het kattenkorfje op schoot, ik houd haar tas vast.

De tramrit kan me niet lang genoeg duren. Gelukkig rijdt de tram langzaam. Bij de Grote Houtstraat stappen we uit. We lopen een zijstraat in, gaan een bruggetje over en belanden in een steegje. Voor een kleine winkel blijft moeder staan. 'Tweedehands Goederen' staat op het raam. We gaan naar binnen. Het is er schemerig. Een man zit een koperen kandelaar te poetsen. Hij zegt dat we de trap op moeten. Boven is het ook schemerig. Een mevrouw met een schort voor en een klein meisje dat zich daaraan vastklampt, komen ons tegemoet.

Het korfje wordt geopend. De vertederende uitroepen van de vrouw en haar dochtertje zijn niet van de lucht. Omstandig legt moeder uit hoe je een kat moet verzorgen. We krijgen thee met kaneelkoekjes.

'Is hier geen tuin?' vraag ik.

'Die hebben we niet, we zijn maar arme mensen met een rommelwinkeltje,' antwoordt de vrouw.

Moeder lacht en zegt dat ze maar een arme pianolerares is.

Voor we weggaan zegt moeder dat ze over een maand terugkomt om te controleren of alles goed is met het poesje. Ze wijst op het kleine meisje. 'Bedenkt u wél, een dier is geen speelgoed, wel een speelkameraad.'

Regelmatig worden er bij ons poesjes geboren waarvoor moeder dan een goed tehuis zoekt. Zo krijgt ze er nieuwe kennissen bij.

Op een dag stappen we – met een leeg korfje – op de tram naar Haarlem. Moeder heeft een adres gecontroleerd, zij vindt dat een katje niet goed verzorgd wordt, nu gaat ze het terughalen.

Man, vrouw en zoontje protesteren heftig, maar moeder is onverbiddelijk.

Terwijl ik hurkend het korfdeurtje openhoud gaat ze op haar knieën liggen, reikt onder de tafel en pakt het diertje.

'Zeg mevrouw, dat gaat zomaar niet!' roept de man kwaad. Moeder doet alsof ze hem niet hoort, trekt me mee naar de deur. De vrouw komt ons achterna en wil nog iets zeggen waartoe ze geen kans krijgt.

'Dag mevrouw Zinkstok, u bent helaas ongeschikt voor het houden van een kat,' zegt moeder en ze trekt de deur dicht.

Negentienveertig. Elke dag ga ik naar de montessorischool, een grappig groen geverfd houten gebouwtje. Moeder brengt en haalt me. Twee jaar later komt er een grote verandering in ons leven. Ik ga niet meer naar school. Plotseling wonen we in Amsterdam, ik begrijp er bijna niets van.

Vijftien ben ik in 1948. We wonen in één kamer aan de Amsterdamse Stalinlaan. We hebben zelfs niet één kat, dat mag niet van de kamerverhuurster.

Als ik over onze achtergelaten katten begin, verbiedt moeder me erover te praten. Dus verzin ik een schoolreisje naar Zandvoort. Ik ben pas jarig geweest. Van dat geld kan ik een reisje naar Heemstede betalen.

Ik zit nu op de ULO, ik moet hoge cijfers halen, zegt ze, dan krijg ik later een goed betaalde baan. Dan ga ik ons huis terugkopen, denk ik, maar ik zeg het niet want over dat huis mag ik ook niet praten.

Met de blauwe tram ga ik naar Haarlem. Via de Haarlemmerhout wandel ik naar Heemstede.

Als ik de Dreef ben afgelopen en vlak bij onze straat ben, voel ik me duizelig worden. Ik durf de zijstraat niet in. Veronderstel dat ze in de tuin zijn, tante Jet, tante Martha, oom Simon en tante Lies met de tweeling, opa en oma. Alle katten liggen in de zon te rollebollen.

Dan zijn de oorlog, onze kamer in de Stalinlaan slechts kwaadaardige dromen geweest en word ik eindelijk weer wakker.

Met bonzend hart loop ik mijn straat in. Daar is het huis, onaangetast. Het raam van de kattenkamer staat open, dadelijk springt er een kat op de vensterbank. De klimop die de halve zijkant bedekte met grote glanzend-groene bladeren, is verdwenen. Ik duw het hekje, dat nog steeds knarst, open.

Voor de erker blijf ik staan. De art deco glas-in-lood-schuifdeuren zijn geopend, ik kan zo in de achterkamer kijken. Er staat een donkerbruine rankenkast met drie Delfts blauwe vazen erop. Oom Simon heeft net zo'n kast. Een lange vrouw komt de kamer binnen; wat moet die in ons huis?

Terwijl ik op de bel druk kijk ik naar de deurknop – zij hebben allemaal eens die knop aangeraakt. Eigenlijk is die knop heilig.

Een magere vrouw met gepermanent grijs haar doet open.

'Ja?'

Het lijkt alsof mijn mond niet open wil.

'Ja?' vraagt ze weer.

'Vroeger woonden wij hier, ik eh… ik dacht… ik wilde…'

Ze vraagt me binnen te komen. Ik zie óns zeil, ónze gordijnen, zij het wat verschoten.

Ze wijst me een stoel aan. Ik kijk de kamer rond. Dan wijs ik naar de tuin. De deuren ernaar staan uitnodigend open. 'Mag ik even kijken?' Ze knikt.

Bespottelijk, denk ik, in mijn eigen huis! Ik loop de tuin in. Onmiddellijk komen van weleer vertrouwde geuren op me af. Op het schuurtje zit een rossige kat met een armoedige vacht vol kale plekken. Het dier heeft nog maar één oog.

'Die is verwilderd,' zegt de mevrouw. 'Je kunt haar niet pakken, af en toe geef ik haar wat melk of een stukje kaas maar ik wil dat vieze beest niet binnen hebben, bovendien krijg je haar er bijna niet meer uit.'

Wortel! schiet het als een huilbui door me. Wortel! Ik ben het! Ik maak het sisserige geluidje van alle kattenliefhebbers.

In het wijd open goudgroene oog dat me onbeweeglijk aanstaart bespeur ik een blik van herkenning of misschien lijkt het zo omdat ik het wil.

Verbaasd kijkt de vrouw me aan, ze haalt haar schouders op en gaat naar binnen.

Als dit werkelijk Wortel is moet ze ruim zestien zijn. Hoe is het haar gelukt al die jaren te overleven? Waar zijn onze andere dieren gebleven? Laat ik het niet vragen want aan wie kan ik het antwoord vertellen? Meenemen kan ik haar niet.

Met lome schreden ga ik naar onze vroegere achterkamer.

Tegen de muur waar onze Steinbach-piano heeft gestaan staat een eikenhouten secretaire met naar beneden geklapt schrijfblad.

De mevrouw brengt me een kop koffie. Ik haat haar, ze heeft van ons gestolen.

'Tja...' begint ze aarzelend. 'Ik kon dit huis toentertijd voor slechts zevenduizend gulden kopen. Ik dacht: Toch wel gemakkelijk een grachtenhuis in Amsterdam en zo'n leuk huisje vlak bij het bos.'

Wij wonen met z'n tweeën in één kamer en dat uitgedroogde mens heeft twee huizen.

'Als ik later een goede baan heb koop ik dit huis terug,' zeg ik tot eigen verbazing. Mijn stem klinkt hard en vastbesloten. De mevrouw zwijgt.

Leuk schoolreisje, denk ik als ik in de blauwe tram terug naar Amsterdam zit. Ik moet onmiddellijk een heel verslag verzinnen want moeder zal wel weer alles willen weten, die is niet zo gauw om de tuin te leiden.

Gelukkig ben ik goed in het maken van opstellen, zo'n verzinsel lukt me wel.

Beeldverhaal

Het 'woonhok'. De meubels komen van de rommelmarkt aan het Waterlooplein. Soms vond/vind ik zeer bruikbare zaken op straat zodat de term straatmeubilair op z'n plaats is. De gordijnen zijn tegen de kozijnen gepropt, de wind waait zomaar binnen in dit oude krot. Op de stoel de lapjespoes 'Vlek', alweer zes jaar oud, als een ziek en vermagerd zwerfkatje in de tuinen gevonden. Als ze zich wast – ze is zeer ijdel – roep ik vaak: 'Even een Vlekje wegwerken!' De skaistoelen stammen waarschijnlijk uit de jaren vijftig. Een interieur dat de heer Des Bouvrie (ik kan zijn naam niet eens spellen, vermoed ik) wellicht doet watertanden.

Close-up van de muur van mijn werkhok, vlak voor mijn bureau. Linksboven hangt een engelachtig kindje van porselein van wie de rechterarm ontbreekt. Het lag eens bij een vuilniszak. In de rug van het kindje zit een gaatje zodat het aan een spijkertje kon worden gehangen.

Op straat gevonden tafeltje, heel oud en mooi. Overal liggen boeken. Het lelijke bloemetjesbehang was er al toen ik in 1980 het krot betrok. Het is de smaak van een vroeg verouderde ongehuwde jongejuffrouw.

Een boekenkastje. Aan de muur reproducties van Matisse en Gauguin, als ik me niet vergis. Deze prenten trof ik aan in de hoezen van twee grammofoonplaten die ik op de rommelmarkt kocht. Daarboven een 'kattenkalender'. Rechts een deken die voor de deuropening hangt. Toen ik de woning betrok, ontbrak de kamerdeur. 's Winters een oude deken ervoor en klaar is Frans.

Het 'woonhok'. Beetje ongelukkig uitgevallen foto, waarover niet veel te vertellen valt.

Triest. Dit is Lily, waarvan ik na veertien jaar afscheid moet nemen. Nu is het haar tijd, ze is dement, slaakt steeds vreselijke
kreten – alsof ze krols is –, heeft rust noch duur. Continu trap-
pelt zij driftig met de achterpootjes. Het lieve scharminkeltje en
ik hebben op vier adressen gewoond. Haar eerst zo heldere blik
is nu glazig. 's Nachts ligt ze, eindelijk even ontspannen, tegen
me aan, en vanmorgen zei ik tegen haar: 'Waar zijn de andere
poesjes? Zal ik verse vis voor je halen? Ik zal je nog wat over ons
verleden vertellen, misschien ben je het vergeten. Ik zal nog een
paar foto's van je nemen, en dan, liefste, is het tijd.' Relative-
rend: Ik ga ervan uit dat zij geen lol in haar leven heeft, ze kan
nauwelijks nog springen, et cetera. Niet egoïstisch denken: Maar
ik kan niet buiten haar… Nog even en ze heeft eindelijk rust. Ik
word te oud, neem nu geen dieren meer erbij; mijn dieren mogen
mij niet overleven.

Lily (in februari 1991 overleden), de kat waarmee ik de sterkste band had. In de stilte van een aprilnacht 1977 heeft ze, zes weken jong, het zwerfnestje verlaten en is pardoes in de Lijnbaansgracht terechtgekomen. Mijn kattenradar ving haar gepiep op. In pyjama rende ik de drie steile trappen af, begaf me in de gracht en haalde haar eruit.

Altijd heb ik het gevoel gehouden dat ik haar geboren heb laten worden, haar als het ware uit het vruchtwater heb getild. Voor water – al was het maar één druppel – is ze altijd panisch gebleven. Qua postuur was ze klein maar wel stevig. Haar leven lang was ze schichtig, liet zich door niemand, behalve mij, aaien. Het gelukkigst was ze als ze naast me in bed lag, dan ronkte haar motortje op z'n hardst.

In een volgend bestaan hoop ik in een kat te reïncarneren in de hoop dat ik net zo'n baas tref als ik zelf voor mijn dieren ben geweest.

Poelie, bijgenaamd 'Poelie de Verschrikkelijke'. Nu echter, na vijf jaar, 'Poelie de Aanhankelijke'. Deze kat heeft jarenlang getracht me te bazen. Werd in 1983 's nachts om één uur zomaar in mijn trapportaal geworpen, ziek. Ik heb nog een verhaal over hem geschreven. De enige kat in mijn leven wiens wil sterker was dan de mijne. Hij sprong van het balkonnetje af, en dan was ik hem een dag kwijt. Dan kwam ik hem tegen aan de overkant van een drukke straat. Doodgemoedereerd liep hij (als een hond) achter me aan naar huis, een wonderlijke kat. Is nu echter zeer huiselijk maar laat nog wel aan de andere katten merken dat er maar één de baas is.

Het heiligdom der heiligdommen. Slechts door weinigen aan-
schouwd. Het bureautje in het 'werkhok'. Daar staat de trouwe
Erika (made in DDR – alweer een stuk geschiedenis) waarop ik
m'n twee verhalenbundels typte. De oppervlakte van dit werkhok
is zó klein dat de deur tegen de hoek van de gang aan komt. Aan
de muur foto's van een Trabant, Bernard Haitink, et cetera. Van
opruimen is geen sprake, hooguit van verplaatsen.

De foto's werden gemaakt op 14 januari 1991 met een splinter-
nieuw fototoestel, diezelfde middag aangeschaft voor f 99,–.
Er zit van alles op: een waarschuwingslampje voor onderbelichting,
een flitser, ja er zit zelfs een lens in. Ik wist niet eens dat ik kón foto-
graferen. Het is géén polaroidtoestel.

Een bijrol in een B-*film*

Op een nacht kon ik de slaap niet vatten, onrustig bleef ik draaien en woelen. Net toen ik indommelde hoorde ik aan de gracht een hoog, angstig piepen. Ik sprong uit bed, rende blootsvoets de drie trappen af. Het motregende. Daar, achter een oude roeiboot klonk het onmiskenbare gepiep van een dier in doodsnood. Ik sprong het water in. Even later kroop ik, via de roeiboot, de walkant op.

Het katje was zo klein dat het op mijn handpalm paste. Ik rende naar boven. In de badcel pakte ik een handdoek waarmee ik het diertje droog- en warmwreef. Het was een nogal kleurloos gevalletje, twee maanden jong misschien.

Nieuwsgierig stonden mijn katten voor de deur van het badkamertje. Welke nieuweling had zich aangediend, net nu ze na ruim een jaar ruzie eindelijk het nieuwe territorium hadden ingedeeld? Vlek kreeg een pootje tussen de deur en wrong haar dikke lijf de badcel in, gevolgd door Sink en Nozem.

'Sodemieteren jullie eens even op!' riep ik, vergetend dat ik hen min of meer op dezelfde wijze had verkregen.

Ik trok mijn natte pyjama uit en wreef mezelf droog,

douchen kwam straks wel. Ik trok mijn tot op de draad versleten badjas aan.

Joop was wakker geworden, hij opende de deur van de badcel en sloot deze onmiddellijk weer.

'Wat doe je daar? Het is toch geen rat?' riep hij angstig.

'Welnee, ik heb een katje uit de gracht gehaald.'

Voor de deur staande vroeg hij met stemverheffing of het echt geen rat was.

'Het ìs geen rat, morgenochtend zie je het wel.' Hij begon me elke dag meer te irriteren.

Ik deponeerde de nieuweling, bijna had ik nieuwgeborene geschreven, in een kattenmandje. Daarna ging ik langdurig douchen.

Gesnurk klonk in de grote kamer, Joop sliep alweer.

Ik schonk wat lauw gemaakte melk op een schoteltje, maar dat was nog te hoog voor het katje. Ik nam het deksel van een jampot en goot de melk daarin. Gulzig dronk het diertje.

Voor ik ging slapen bekeek ik het katje nog even, dat doezelig terugkeek. Van welk geslacht het was, kon ik niet vaststellen. Vanwege de schitterende goudgroene oogjes doopte ik het Bijou.

De volgende ochtend zou ik ermee naar de dierenkliniek gaan, een armetierig houten gebouwtje op de hoek van Rozengracht en Marnixstraat. De vriendelijke dierenarts liet on- en minvermogenden nooit het volle pond betalen; ik bevond me tussen beide categorieën in.

*

Joop stond met een vreemde in de keuken toen ik thuiskwam.

Hij stelde ons aan elkaar voor. De hand die de man me gaf voelde als een dode wijting. De voornaam 'Alain' verstond ik, de achternaam werd gemompeld.

Hij was papperig, een kop groter dan ik, een jaar of dertig. Hij deed me denken aan Bastiaan van der Linden, die me op de ULO continu had gepest of anderen daartoe had aangezet.

Een week daarvoor had Joop me met van emotie trillende stem verteld dat hij iemand had ontmoet met wie hij 'de rest van zijn leven' wilde doorbrengen. Die iemand ging me dus een dienst bewijzen.

'Ik heb Alain zojuist de woning laten zien.'

De deur van mijn kamer stond open. Ik sloot deze.

Alain had zijn ogen op me gericht, echter zonder me echt aan te kijken. Hij praatte alsof hij spraaklessen in praktijk bracht. Ik bespeurde een ondertoon van plat Amsterdams.

In Joops ogen lag een adorerende blik.

Alain draaide zich om, een papperig achterwerk tonend dat eruitzag alsof hij ettelijke kilo's deeg in zijn broek had gepropt. Hij liep naar Joops kamer en sloot de deur.

Met trillende vingers opende Joop een pak espresso vacuümkoffie, dat hij prompt liet vallen. De fijngemalen koffie vormde een donkerbruin bergje op het aanrecht.

'Hij is pas terug uit Egypte,' verklaarde hij, terwijl hij met een plastic schepje de koffie van het aanrecht schepte en in het espressoapparaat deponeerde.

'Hij heeft daar bij de Nederlandse ambassade gewerkt.' Hij vulde het reservoir met water.

In de deuropening draaide hij zich om. 'Ik breng jou je koffie wel op je kamer, we hebben iets te bespreken.' Hij deed nogal gedecideerd, iets wat ik niet van hem gewend was.

Nu was ik zowaar bij mezelf op visite.

Ik opende de koelkast, haalde er het plastic doosje met runderhart uit. Terwijl ik met een grote schaar het vlees in kleine repen knipte, vroeg ik me af waar hij die figuur tegen het lijf zou hebben gelopen.

Joop kwam de keuken binnen met een dienblad waarop twee kopjes stonden. Hij vulde ze met koffie en ging weer naar zijn kamer.

Snel trok ik mijn schoenen uit en zette ze in mijn kamer neer. Ik wachtte even, toen sloop ik naar Joops deur en luisterde.

Even zag ik een jongen van een jaar of vijftien in pyjama, het oor tegen de kamerdeur van zijn oom gedrukt. Daarachter bevond zich niet alleen oom maar ook een hoer. Sindsdien was afluisteren me blijven intrigeren. Het betekende zaken horen zonder franje.

Ik hoorde Alain vertellen dat hij eens twee heilige Burmaanse katten met stamboom had bezeten.

'Waar woonde je toen?'

'In het Amstel Hotel. Ik was twee jaar topman bij IBM en mijn suite daar hoorde bij die baan.'

Joop maakte een sissend geluid dat bewondering moest uitdrukken. Alsof er geen deur tussen ons was zag ik de pathetische bewondering in zijn blik.

Even bleef het stil.

'Kun je hem er niet uitwerken?' Het geluid van een kopje dat op een schoteltje werd gezet. Een stoel die kraakte.

Op mijn tenen snelde ik naar mijn kamer.

In de daaropvolgende dagen raakte Joop niet uitgerateld over Alain.

'Hij heeft ook bij de beveiliging van het koninklijk huis gewerkt, daar gaat hij nu weer solliciteren.'

'Wie had ooit kunnen vermoeden dat je nog eens een echte kosmopoliet zou ontmoeten, en dan nog wel één met zo'n aparte voornaam.'

'Een kos... wat?' Ik legde het hem uit.

Zijn enthousiasme over Alain was onstuitbaar. En ik zou de mythe die hij aan het weven was niet ontkrachten.

Zo zou Alain eens de Rode Zee hebben overgezwommen. Aardrijkskunde was Joops sterkste vak niet geweest; een watervlakte van zo'n driehonderd kilometer breed en ongeveer tweeduizend meter diep!

Al vertellend puilden zijn ogen vervaarlijk uit. Ik vreesde ze nog uit hun kassen te zien tuimelen; hij kreeg tenslotte de ene fantastische mededeling na de andere te verwerken.

Dit was de eerste akte van een drama. Het was alsof ik in een B-film figureerde. Helaas kon ik de set niet abrupt verlaten.

*

Ik kwam thuis. Joop kwam meteen zijn kamer uit. Aarzelend deelde hij mee dat Alain die nacht bij hem zou blijven slapen.

Ik trok een bedenkelijk gezicht. 'Moet dat?'

Hij was onzeker, wist zich geen raad met zijn houding.

'Hij is nogal klein behuisd, hij woont op een zolderkamertje totdat hij een geschikt appartement heeft gevonden.'

Hij is in gevaar, zei mijn alter ego, waarschuw hem. Ik keek naar zijn grote, moederlijke handen die zo vaak voor me hadden gekookt, een vouw in mijn broeken hadden geperst, mijn overhemden zorgvuldig hadden gestreken. Een vlaag van wroeging overviel me. Dat ik geld uit de gezamenlijke huishoudpot had genomen en dit ten eigen bate besteed, wist hij. Maar hij had gezwegen.

Die avond was ik weer bij mezelf op visite. Joop klopte aan mijn kamerdeur; kwam ik even koffiedrinken? Dan kon ik meteen naar het nieuws op de televisie kijken.

Joop en Alain zaten naast elkaar op het tweezitsbankje. Angstvallig hielden ze elkaars hand vast. Ik keek naar het beeldscherm en tersluiks naar hen. Toen ze elkaar op de mond kusten, schrok ik van dit huiveringwekkend gebeuren.

Toen het nieuws was beëindigd vertrok ik naar mijn kamer om mijn dagboek bij te werken; er was materiaal in overvloed.

∗

Vóór mijn gebruikelijke avondwandelingetje controleerde ik altijd automatisch of alle katten er waren. Behalve Bijou waren ze er allemaal. Ik zocht op de bekende plekjes waar zij zich graag verstopte.

'Heb jij Bijou gezien?' vroeg ik ongerust aan Joop.

Ontkennend haalde hij de schouders op.

Joops kamerdeur werd geopend, Alain verscheen. Zijn zelfbewuste houding deed onecht aan.

'Het hele huis stonk naar die rotvis, toen heb ik de deur naar de trap even opengezet, misschien is die kat wel daar.'

Als Bijou de drie trappen was afgelopen en één van de benedenburen had de buitendeur laten openstaan, dan... Het werd al schemerig. Zenuwachtig opende ik de gangkast en pakte de zaklantaarn.

Aarzelend bood Joop me aan mee te helpen zoeken.

'Laat hem maar zoeken, 't is jouw kat toch niet?' Het was een bevel. Nonchalant leunde Alain tegen de gangmuur.

Met de zaklantaarn scheen ik in hun ogen. 'Verdomme, als ik haar niet vind...'

In het trapportaal was Bijou niet, dat wist ik al toen die snuiter zijn praatje afstak.

Paniekerig zocht ik in portieken, onder geparkeerde auto's, in de doodlopende steegjes van Laurier- en Rozenstraat. Onophoudelijk riep ik haar naam, daarbij dat specifieke geluidje slissend waarop katten reageren.

'Onder een rijdende auto gekomen, onder een rijdende auto gekomen,' herhaalde een inwendige robotachtige stem.

Het werd snel donker, de batterij raakte uitgeput.

Wat zou Alain een sadistische lol hebben als ik overstuur thuiskwam.

'Maar dan gaat hij eraan,' mompelde ik, onder de zoveelste auto speurend.

'Dan gaan ze eraan,' corrigeerde de robotstem.

Met de inmiddels verflauwde lichtbundel scheen ik in het roeibootje dat altijd tegenover mijn woning lag afgemeerd.

Op de bodem ervan zat, angstig ineengedoken, Bijou, letterlijk boven de plek waar ze nog niet zolang daarvoor bijna was verdronken.

Eindelijk had ik haar in mijn armen. Ik drukte mijn gezicht in haar vacht alsof ik mijn moeder had weergevonden – mijn kinderhoofd in haar zachte schoot duwend.

Ik legde een vinger op haar keeltje, voelde haar motortje spinnen, ze wist zich weer veilig.

Ik liep naar boven.

Met een zorgelijk gezicht kwam Joop uit zijn kamer; hij kende mijn zeldzame woede-uitbarstingen.

'Waar heb je haar gevonden?'

'Doet er niet toe.'

Hij wees met zijn hoofd naar zijn kamerdeur. 'Alain slaapt al, die was oververmoeid.'

Die nacht kon ik niet slapen. Meedogenloos had iemand me in mijn liefste bezit willen treffen. Eigenlijk moest ik opstaan en die vent iets flikken waardoor hij zich een hartstilstand zou schrikken.

Rache! Rache! Dat Duits-Jiddisje woord bleef in mijn hoofd rondtollen. Om de haverklap moest ik plassen. Ondanks een behoorlijke aandrang loosde ik echter minimale hoeveelheden. Ik transpireerde hevig.

In Joops kamer hoorde ik zijn bed piepen als een vermoeide kanariepiet. Toen piepte het iets sneller, daarna weer sneller. Het was alsof een ouderwetse locomotief op gang kwam, nou, de locomotief had er nu behoorlijk de vaart in.

Joop had zijn zin. Geef mijn portie maar aan de bekende hond, dacht ik.

Ik ging weer naar de R.K. Begijnhofkapel H.H. Joannes en Ursula. Ik wierp een rijksdaalder in de geldgleuf, nam een kaars en ontstak die aan een reeds brandende kaars. Dit keer was ik alleen in het kerkje.

Met klem verzocht ik de voorzienigheid Alain en Joop door middel van ziekte of ongeval in het koninkrijk der hemelen, maar bij voorkeur elders te doen opnemen.

Joop verzocht me even naar zijn kamer te komen.

Op de bank zat Alain. Naast hem lagen twee foto's.

'Alain wilde Bijou echt niet laten weglopen,' zei Joop. Zenuwachtig stak hij een sigaret op. Goedkeurend knikte zijn meester hem toe.

'Heeft hij verdomme zelf geen tong?'

Verstoord keek Alain op van de foto's. Weer vielen zijn vaalgele hyena-achtige ogen me op.

Op de tafel stond een fles rode bessenjenever. Joops gezicht had een hoogrode kleur.

Moeizaam stond Alain op, nam de fles jenever en zette deze aan zijn mond alsof het cassis was. Toen ging hij weer zitten.

'Voortaan slaap jij maar op je kamertje en ontvang je Joop daar.'

'Ga even zitten,' sprak Alain met dikke tong.

Joop vroeg me of ik de foto's al gezien had; meteen pakte hij ze van de bank en gaf ze me.

Op de ene foto herkende ik onmiddellijk Alain. De persoon op de andere foto toonde vage trekken van hem, maar dan met een grote haakneus en een vooruitstekende heksenkin.

'Verleden jaar heb ik me... heb ik me in Caïro laten opereren.'

Hij had de gewoonte direct na het spreken zijn lippen dicht opeen te persen waardoor de mond een smalle streep werd.

'Ze hebben een stukje bot uit mijn neus weggezaagd.' Hij pakte een zakdoek uit zijn broekzak en begon zijn schoenen op te wrijven. Vervolgens snoot hij zijn neus.

'Ze hebben een stukje bot uit mijn neus... mijn kin naar achteren geplaatst en mijn wangen opgevuld,' zijn woorden kwamen traag als stroop.

'Met kalfsbotten,' verklaarde Joop.

Alsof hij de operatie zelf had ondergaan legde Joop enthousiast uit dat Alains onderkaak was verhoogd, ook met kalfsbotjes omdat er houvast voor diens ondergebit moest komen.

'In Londen zzitten de bbbeste plasplastische chichirurgen,' hakkelde Alain.

'Je bent toch in Caïro geopereerd?' vroeg Joop.

Eens per maand ging ik op een zondagmiddag naar Zandvoort. Ik wandelde langs de boulevard, dronk koffie op het terras van paviljoen The Seagull.

Terugkomend van zo'n middag trof ik een nagenoeg lege etage aan.

Joop had zijn eigendommen meegenomen, en nogal wat van de mijne.

Het initiatief daartoe was hem ongetwijfeld opgedrongen.

Gelukkig waren de dieren er allemaal.

Mijn boeken, grammofoonplaten, grammofoonmeubel, bureau, schrijfmachine en bureaustoel waren er eveneens nog.

Koelkast, gasstel, kachel, pannen, borden, bestek, linnengoed en geiser waren verdwenen. Het bijna antieke driepitspetroleumtoestel was ook weg.

Bijzonder vervelend was dat ik mijn bed plus dekens kwijt was. Wie neemt er nu andermans bed mee?

Toch was ik opgelucht; voor elke vorm van vrijheid dient tenslotte te worden betaald. Even sparen en ik kon me – voor de zoveelste maal – naar de rommelmarkt begeven voor mijn herinrichting.

Ik zette mijn bureaustoel in de grote kamer en ging zitten.

Er ging een besliste rust uit van zo'n leeg vertrek. Ik

ontdekte dat ook de luxaflex was verdwenen.

Ik keek naar mijn moeders foto op het grammofoon-meubel.

Het leek alsof zij haar wenkbrauwen nog iets hoger had opgetrokken, haar mond was nu niet helemaal gesloten.

'Je zoveelste lesje geleerd,' hoorde ik haar zeggen.

Poelie de Verschrikkelijke

Het was één uur in de nacht. Ik luisterde naar Rachmaninoff's derde pianoconcert met als solist mijn geliefde Horowitz; dirigent was de legendarische Eugène Ormandy met zijn New York Philharmonic. Er werd gebeld. Ik schrok, opende het raam.

Een vrouw met een Duits accent riep dat er een kat voor mijn deur lag te kotsen, of die van mij was? Paniekerig keek ik de kamer rond, maar Lily en Vlek waren er. Toch naar beneden.

Er lag een grote uitgemergelde kat op de stoep, zo'n donkergestreepte cyperse. De vrouw, die een onmiskenbare dranklucht verspreidde, zei dat ze haast had en verdween.

Ik pakte de kat op en liep met hem naar boven. Hij voelde aan als een grote, met puntige botten gevulde vacht. Onmiddellijk waren Lily en Vlek uit hun doen.

Ik deponeerde de kat in mijn slaaphok, waar hij geel slijm begon te braken. Op zijn rug zat een korstige plek; het leek schurft. Zo te zien was het een gecastreerde kater.

Drie katten is te veel, dacht ik, je wordt een dagje ouder.

Ik besloot de volgende dag naar de dierenarts te gaan. Verdorie, net nu ik toch al rood bij de giro stond, gebeurde er zoiets. Dierenartsen haten giro's, handje-contantje is hun parool.

Ik pakte een kattenkorfje, voorzag het van een schone handdoek en schoof de zieke erin. Het was een bijzonder fors dier, maar wel erg mager. Zijn kop lag op de rand van het mandje. Van een schoteltje lauwe melk likte hij lusteloos een paar druppeltjes op.

Hij had het benauwd, zijn flanken gingen snel op en neer, zoveel strijd moest hij voor zuurstof leveren.

Het viel me op dat de haartjes van zijn wel heel korte snorretje talrijker waren en dichter opeen stonden dan ik ooit bij een kat had waargenomen. Maar opzettelijk afgeknipt waren ze niet, want ze liepen uit in een punt. Zijn ogen waren van een bijzonder fel gifgroen; het leek wel of hij een beetje loenste.

Lily en Vlek, mijn twee trouwe zachtaardige kameraadjes, jarenlang door mij meegesleept van krot naar krot, moesten maar zolang in de huiskamer bivakkeren.

Toen ik wakker werd, bleek de vreemde kat op het voeteneinde van mijn bed te liggen. Ik krauwde hem over de kop, maar dat werd met een heftig blazen beantwoord. Hij sprong van het bed af, liep naar de geïmproviseerde kattenbak en produceerde een zwartachtige blubber, die wemelde van de maden. Die zou ook nog wel eens een lintworm kunnen hebben, dacht ik.

Ik kleedde me aan, gaf Lily en Vlek wat vers hart. Vervolgens ging ik naar het slaaphok, pakte het rieten katten-korfje, zette het vóór de kat op het bed en trachtte hem erin te duwen. Hij gaf geen millimeter mee, bromde on-heilspellend en blies. Daarna slaakte hij een diepe zucht die zo menselijk klonk dat ik ervan schrok. Ook later zou ik aan die gekwelde diepe zuchten niet wennen.

Ik plaatste het korfje achter de kat en trachtte hem er zo in te duwen. Weer gromde hij. Dan maar in zijn nekvel, dacht ik. Onwillig schoof hij achterwaarts naar binnen.

Ik was bezig een dubbele strik te maken van de veter die aan het korfje hing, toen de kat ineens uithaalde en mijn vingers openkrabde.

Ik schrok. De veter schoot los; met onvermoede kracht wrong hij zijn kop langs het deurtje, ik duwde de kop te-rug, waarop hij me, in een snelle flits, in mijn rechtermid-delvinger beet.

Kwaad en hardhandig duwde ik zijn kop terug; einde-lijk had ik hem opgesloten. Ik hield de gewonde vinger even onder de kraan en deed er een pleister op.

In een koude motregen liep ik via Ringdijk en Linnaeus-parkweg naar het pand op de Middenweg waar de dieren-arts spreekuur hield. De wachtkamer was tamelijk vol, dat gedoe met het korfje had me veel tijd gekost.

Verveeld pakte ik een geïllustreerd tijdschrift en sloeg het lukraak open. Een advertentie van een begrafenison-derneming toonde een vallend boomblad met de tekst 'Reeds een miljoen leden gingen u voor'.

'Reeds een miljoen doden gingen u voor,' dacht ik, dat is toch een veel pakkender slogan?

Eindelijk waren wij aan de beurt.

Zo beknopt mogelijk vertelde ik de dokter hoe ik aan de kat was gekomen. Ik maakte de veter los en opende het deurtje; kwaad keken de gifgroene ogen ons aan, de korte snor trilde heftig.

De dokter trok een paar dikke, grijze handschoenen aan. Terwijl de assistente het korfje vasthield, trachtte hij de kat eruit te trekken. Het dier bromde doordringend hard en blies. De dokter trok, maar de kat vocht fanatiek terug en gaf enkele snelle beten in de dikke handschoenen. Hij blies en loeide van laag naar hoog.

'Tjonge, jonge,' merkte de dierenarts op, 'zoiets maak ik niet vaak mee, een kat met zó'n kracht.'

Eindelijk had hij hem uit het korfje gekregen; hij zette hem op de metalen onderzoektafel. De assistente, die inmiddels ook handbeschermers had aangetrokken, hield zijn voorpoten vast; verwoed trachtte hij met zijn achterpoten haar handen van zich af te duwen.

De dokter keek in zijn bek, scheen met een lampje in zijn ogen en oren. Daarna werd ook ik van speciale handschoenen voorzien en ingeschakeld om hem in toom te houden, zodat hij getemperatuurd kon worden. Dat ging gelukkig erg snel.

'Wilt u die kat houden?' vroeg de dokter.

'Ik heb er al twee. Moet hij anders worden afgemaakt?'

Hij haalde wat moedeloos de schouders op. 'Het wemelt van de thuisloze katten in de asiels en op de poezenboten. Dacht u soms dat er iemand op deze wildebras zit te wachten? Bovendien is hij erg ziek.'

Ik vroeg hoe oud hij de kat schatte.

Weer keek hij in de bek. 'Een jaar of vijf.'

'Dan heeft hij nog een heel leven voor zich, ik wil het proberen,' zei ik aarzelend.

De dokter gaf de kat een penicilline- en een vitamine B-injectie.

De assistente noteerde de gegevens: gecastreerd, vermoedelijk vijf jaar, cypers, naam: Poelie. Die naam had ik in de gauwigheid bedacht.

'Dat snorretje,' wees ik, 'ziet u hoe kort die haartjes zijn en hoe dicht ze opeen staan?'

De dokter keek verbaasd. 'Merkwaardig, heel merkwaardig, zoiets heb ik nog nooit bij een kat gezien, een bijzondere speling van Moeder Natuur zullen we maar zeggen.'

Met z'n drieën kregen we hem met veel moeite het mandje in.

Ik kreeg wormtabletten, zalf en een flesje met penicilline mee. 'Hoe kan ik in mijn eentje zo'n wild beest elke dag vijftien druppels uit die pipet in zijn bek toedienen?' vroeg ik.

'Misschien kunt u iemand om assistentie vragen,' suggereerde de dokter.

Na vijfenzestig gulden te hebben betaald, vertrok ik. Voor het weekend had ik nu nog vijftien gulden over.

Woorden van mijn vroegere buurvrouw uit de Jordaan, Louise, schoten door mijn hoofd: 'Er komt nog een dag waarop je huis vol katten zit en jij op straat loopt.' Ik wist dat ze gelijk had.

Op het moment dat ik de hoek van de Eerste Atjeh-straat omsloeg, voelde ik me net zo als die straat altijd op me overkomt: vervallen, somber en levensmoe.

Hoewel ik gewoonlijk als een levende dode de nachten doorbreng, met oren vol ohropax en dertig milligram Dalmadorm in het lijf vanwege de grote gehorigheid van mijn huidige krot, werd ik deze nacht toch wakker.

Mijn rechterarm klopte pijnlijk. Ik keek op mijn horloge, het was vier uur. Ik knipte het leeslampje aan; mijn rechtermiddelvinger was dik, stijf en gezwollen als een Hemaworst. Ik kon de vinger, die klopte alsof er een hart in zat, niet meer buigen. Van de kattenbeet was slechts een klein blauw plekje bovenaan de vingertop te bespeuren.

Ik hield de vinger enkele minuten onder koud water, maar dat maakte het nog erger. Slapen lukte niet meer. Ik zette verse koffie. Vlek en Lily waren verheugd mij op dit vroege tijdstip in de huiskamer aan te treffen en sprongen beide op mijn schoot.

Altijd wat anders en zelden iets goeds, dacht ik, want ik ben één van die mensen die in de verkeerde mal schijnen te zijn gegoten.

Eindelijk werd het acht uur. Het was zaterdag. Maandag maar naar de huisarts als het niet slinkt, besloot ik.

Na wat boodschappen te hebben gedaan, belde ik in een telefooncel Hedda op, de doktersassistente bij wie ik pas koffie had gedronken. Aan haar eerste baby had ik een leuk gekleurd deegpoppetje geschonken, dat nu boven zijn wieg hing.

Ik vertelde haar het verhaal.

'Heb je ooit een tetanus-injectie gehad?' vroeg ze.

'Nooit.'

'Wanneer werd je precies gebeten?'

'Drie dagen geleden.'

'Ga dan onmiddellijk naar de eerste hulp van het Onze Lieve Vrouwe-Gasthuis, dit is echt gevaarlijk. Je weet dat ik niet van overdrijven houd.'

'Goed goed, ik zal gaan,' antwoordde ik sussend.

'Een kattenkráb is niet zo erg, maar een béét,' zei de jonge arts. 'U moest eens weten hoeveel gemene bacteriën er in kattenspeeksel zitten.'

'Kunt u de vinger niet even opensnijden, zodat de spanning eruit is en het pus eruit loopt?' stelde ik voor.

'Zo simpel ligt dat niet. Er zit trouwens geen pus in,' zei hij en vervolgde: 'U bent ingeënt tegen tetanus, neem ik aan?'

'Nee dokter, nooit ingeënt.'

'Tetanusbacillen zijn zó resistent dat ze zelfs koken overleven,' vertelde hij. 'Het kan ook nog fijt worden,' voegde hij er met een optimistische klank in zijn stem aan toe.

Deze dokter had blijkbaar tijd over. Terwijl hij nauwgezet mijn patiëntenkaart invulde, zei hij: 'Het kan meevallen, maar u zou hierdoor zelfs kunnen overlijden. Wat uw dierenliefde betreft, u schijnt zich nogal met de underdog te identificeren.'

'Meer met de undercat.'

Hij lachte en stond op.

'Nou heb ik de oorlog overleefd en nu zou je nog door zo'n stomme kattenbeet...' foeterde ik.

'Tja, het leven zit vol verrassingen,' zei hij en spreidde met een olijk gebaar zijn vingers.

'U krijgt een nat verband om de vinger en een elastisch kokertje; u moet het verband enkele malen per dag nat maken. De arm gaat in een mitella, die moet volkomen rust hebben. Morgen om twee uur komt u terug, dan zal mijn collega, dokter Ferenc, de vinger bekijken.'

Dat kan leuk worden, dacht ik, voor mezelf en drie katten zorgen en dat alles met de linkerhand? Ik dacht aan de componist Ravel die voor zijn vriend Wittgenstein – wiens rechterarm in de Eerste Wereldoorlog was geamputeerd – het Pianoconcert voor de Linkerhand schreef.

De dokter gaf me in beide dijbenen een tetanus-injectie. Een verpleegkundige verbond de vinger. Met de arm in een mitella en vier doosjes met diverse capsules, waaronder penicilline, ging ik huiswaarts.

Onderweg belde ik Louise op. Af en toe hadden we nog contact, maar ze werd steeds baziger. Ze had twee katten; ze wilde per se zwarte. Louise was al jarenlang lid van het A.S.G., het Amsterdams Spiritistisch Genootschap waarvan – hoe vreemd – alle leden vrouwen waren. Ze had onmiskenbaar iets van zo'n zwoele waarzegster: dat gitzwarte geverfde haar, die enorme grijsblauwe ogen, waarmee ze heel expressief werkte en niet te vergeten die als met zwarte schoensmeer aangezette wenkbrauwen.

Ze beloofde te komen.

'Jij ook met je kattenmanie,' was haar verwijtende re-
actie.

De kat, inmiddels Poelie de Verschrikkelijke gedoopt,
knapte snel op, terwijl ik mijn arm nog in de mitella droeg.
Af en toe ontdeed ik me van die dwaze lap, trok een hand-
schoen aan de rechterhand en ging de kattenbakken
schoonmaken. Alleen zijn is prima met twee, maar erg lastig met maar een bruikbare arm.

Ik kon Poelie niet samen met Vlek en Lily in de huiskamer laten. Met scherpe klauwen haalde hij naar ze uit,
blies en probeerde ze te bijten. Zodra hij de kamer betrad,
kropen de twee schatten angstig weg. Een schrikbewind.
Meestentijds verbleef Poelie in mijn slaaphokje of op het
balkonnetje. Hij sliep aan mijn voeteneind. Als ik hem
wilde aaien, bromde en blies hij.

Terwijl ik in bed mijn dagboek zat bij te werken, loosde hij af en toe diepe zuchten, die niets dierlijks meer
hadden. Het leek of hij het een kwelling vond om in dat
kattenlichaam opgesloten te zijn. Ik schrok van die luide
zuchten; alsof er behalve ikzelf nog een menselijk wezen
aanwezig was.

Hij had ook de vreemde gewoonte langdurig op en
neer te lopen, zoals een soldaat wachtloopt, steeds van het
raam tot de boekenkast en terug. Louise merkte een keer
op: 'Die Poelie zou je op z'n Duits een *teppichfresser* kunnen noemen.' Woorden met een voorspellende kracht.

Wat het voedsel betreft: Poelie de Verschrikkelijke weigerde pertinent alle eten uit blik of pak, wenste uitsluitend

vers gekookte wijting, mager poulet, mager lams- of runderhart. Al liet ik hem drie dagen vasten, hij bleef eten uit
blik of pak weigeren. Met wellust keerde hij dan het etens-
bakje om en smeerde de WHISKAS ZEEVIS met de rechter-
voorpoot over de vloerbedekking, zoals een peuter met
voedsel kliedert. Het drillerig restant dat aan zijn poot
bleef plakken, schudde hij er driftig van af, zodat de spet-
ters op het behang of op mijn boeken terechtkwamen. Zo
trachtte hij me te dwingen en te domineren.

Graag zat hij op het armetierige vlonderbalkonnetje. Op
een keer balanceerde hij vervaarlijk op de rand ervan, viel
of sprong ervan af, maar kwam keurig op zijn lange poten
terecht in het rommeltuintje van mijn onderbuurman. Ik
dacht: daar ben ik van af.

In de gemeenschappelijke tuinen heersten al jaren
twee vechtlustige zwerfkatten, een zwarte en een rode. Ik
zag Poelie de tuin in struinen; de zwarte zag hem, bedacht
zich geen moment en klom in paniek hoog in de enige
boom die de tuin siert. Toen zag Poelie de grote rode kat.
Welbewust stevende hij op hem af, het leek wel alsof hij
zijn borst vooruitstak zoals een mens dat kan doen. De
rode kat, waarvoor alle andere zwerfkatten bang waren –
zelfs honden meden hem –, kroop angstig in een in on-
bruik geraakt ouderwets kolenhok. Met moeite wrong hij
zijn dikke lijf door de nauwe opening.

Poelie ging op het grasveld zitten en begon verwoed
met zijn tanden aan zijn uitgestoken nagels te trekken. Dat
deed hij thuis ook, om het nagelbed soepel te houden; hij

was erg secuur waar het nagelverzorging betrof.

Ik riep hem niet, ging hem niet halen, sloot de balkondeur.

Het werd avond, ik kreeg hoofdpijn en ging op bed liggen.

Om een uur of twaalf schrok ik wakker van een afgrijselijk en langdurig kattengekrijs in de tuinen. Zou dat Poelie zijn?

Ik doezelde weer weg op de slaapcapsules.

De volgende ochtend hoorde ik in de melkwinkel een vrouw vertellen dat er drie dode zwerfkatten in de tuin waren gevonden, alle met doorgebeten strot. Ik vroeg me af of Poelie bij de doden zou zijn. In de tuin had ik hem niet meer gezien. Met een gevoel van opluchting meende ik van hem te zijn verlost.

Maar toen ik de ochtend daarna de balkondeur opende trof ik hem op het balkon aan. Hoe was hij naar boven gekomen? Hij moest steil omhoog geklommen zijn, er was geen andere verklaring. Ik keek naar de oude muur. Hij moest zich hebben vastgeklemd aan de grote, roestige spijkers en andere metalen uitsteeksels daar.

Hij strompelde het slaaphok binnen. Overal waar hij had gelopen lagen bloedsporen. Ik zag dat zijn voetkussentjes waren gescheurd en bloedden; twee nagels hingen er half afgescheurd bij.

Even was ik ontroerd, die valse dwingeland wist toch maar precies waar hij thuishoorde, een kat die tegen een steile muur opklom! Of was het uit louter egoïsme: hier heb ik mijn vreten, dit is mijn territorium?

Wonder boven wonder liet hij toe dat ik met lauw water de kapotte kussentjes bette, deze voorzichtig afdroogde en daarna met vaseline insmeerde.

Ik, min of meer zijn slaaf en butler, rende naar de slager en kocht twee ons magere poulet. Begerig verslond hij het, ik hoorde zijn tanden door het vlees snijden. Daarna sprong hij op het bed en slaakte weer zo'n luide, bijna menselijke zucht.

Hij sliep anderhalve dag aan één stuk.

Soms dwong ik zijn forse kop tussen mijn handen, keek in de loensende, gifgroene ogen en streelde hem in een vergeefse poging tot liefkozen. Het antwoord was een vervaarlijk gegrom, waarvan zijn hele lijf vibreerde. Dan kwijlde hij van haat. Snel waste ik zijn speeksel van mijn handen.

Er waren ook die zeldzame momenten waarop hij een liefkozing waardeerde, ik voelde zijn keelmotortje kortstondig en ingehouden spinnen. Door deze intimiteiten liep ik weliswaar het risico van een tweede beet, maar inmiddels had ik ook de tweede tetanusprik gehad.

Ik had Louise bijna alles over de onhandelbare kat verteld.

'Ik zou hem geloof ik allang hebben gewurgd,' zei ze.

Toen ze bij me op visite kwam hield ze uit voorzorg haar lederen handschoenen aan; een raar gezicht, iemand die met handschoenen aan een kopje koffie drinkt.

Ik had de kattensituatie die ochtend gewijzigd: Lily en Vlek op het balkon en Poelie tijdelijk in de huiskamer. De radio stond aan: Grieg, Mozart, daarna Wagner.

'Kom eens gauw!' riep Louise.

Ik kwam de keuken uit.

'Dat is opmerkelijk,' zei Louise, 'zodra die muziek van Wagner klonk, liep hij met gespitste oren naar de radio en nu zit-ie er bovenop.'

Onbeweeglijk en vreemd verstard zat Poelie daar alsof hij echt luisterde.

Een kille rilling prikkelde langs mijn ruggengraat.

'Er is wat met dat beest, doe hem toch weg, hij brengt ongeluk. Dat heb je trouwens aan die beet gemerkt, dat was bijna slecht afgelopen.'

Als afleidingsmanoeuvre begon ik haar te vertellen hoeveel zakken kattenbaksteentjes ik per jaar wel verbruikte.

'In al de jaren dat ik katten heb, heb ik wel tweemaal de Himalaya tot gruis vermalen.'

Op een middag zat ik in de huiskamer wat te mijmeren, toen Poelie zich – zoals gebruikelijk – met frenetieke kracht diagonaal springend, met zijn volle gewicht tegen de slaapkamerdeur wierp, waarvan het bovenste deel uit glas bestaat. Ik stond op. Kwaad loensten de gifgroene ogen naar me op, hij wilde per se de huiskamer in.

'Houd je je koest, rotzak?' riep ik, waarna ik weer ging zitten.

Plotseling hoorde ik een harde bons, het glas brak, hij

Poelie, 2001

was er dwars doorheen gesprongen en stond voor me, zijn staart dik van woede, zijn rugharen als stekels overeind.

Wat die in zijn kop heeft, heeft-ie niet ergens anders, dacht ik getergd terwijl ik het glas opruimde. Ik pakte Poelie op en zette hem ruw op het balkon. Onmiddellijk sprong hij op de leuning en vandaar naar beneden. Hij ging zich op het grasveld zitten wassen.

Feilloos vingen meeuwen, in gave duikvlucht, door de buurvrouw van tweehoog naar beneden geworpen stukjes brood. Een enkel gemist stukje pikten ze krijsend op uit het gras.

Ineens maakte Poelie een enorme sprong, kreeg een vleugel te pakken. De vogel stortte neer. Hij ging er met om de poten geslagen staart naar zitten kijken – als in shock bleef de meeuw liggen. Na een minuut of wat begon er echter weer leven in hem te komen. Tot mijn grote opluchting lukte een sprongsgewijze opstijging en verdween hij, lugubere kreten uitstotend, uit het zicht.

De eerste strofe van het beroemde gedicht van Christian Morgenstern schoot me door het hoofd:

> *Die Möwen sehen alle aus*
> *alsob sie Emma hiessen.*
> *Sie tragen einen weissen Flauss*
> *und sind mit Schrot zu schiessen.*

Poelie liep tot het eind van de tuin. In de verte zag ik hem nog onder het hek doorkruipen, richting Molukkenstraat.

Een uur later opende ik de benedendeur; ik schrok, Poelie stoof wild langs me heen, rende al blazend en brommend de trap op en bleef vastberaden voor mijn etagedeur zitten. Er zat niets anders op dan hem binnen te laten.

Louise kwam op visite. Natuurlijk begon ze over Poelie.

'Als jij de moed niet kunt opbrengen hem naar het asiel te brengen, wil ik dat wel voor je doen. Hij verknalt het leven van die twee oude lieverds.' Ze wees op Lily en Vlek.

'Kan er een kwade geest in een kat huizen?' vroeg ik om haar een plezier te doen.

Omstandig begon ze uit te leggen dat een ziel pas rust heeft als de cirkel is gesloten. Ze sprak van metempsychose oftewel reïncarnatie. Als je goed hebt geleefd, zul je in een hogere zijnsorde worden herboren, maar in het hiernamaals zijn óók afdelingen; sommige zielen moeten langdurig in donkere, mistige of schemerige, ijskoude of kokendhete sferen vertoeven.

Ik begreep dat het nog een hele toer was om voorgoed in een aangename hiernamaalssfeer te belanden. Zielen van misdadigers konden in een koe, varken of ander dier terechtkomen. Wie op een laag niveau had geleefd, werd op een laag niveau herboren. Sommigen der 'overgegaanen' manifesteren zich door gebruik te maken van het lichaam van het medium.

Ik ging naar de keuken, vulde de fluitketel en zette deze op het gas. Uit de kast nam ik de glazen Melittapot en het koffiefilter.

Louise kwam de keuken binnen, haar anders nogal kleurloze gezicht had nu een kleur.

'Ik wilde je vragen of je, nou ja.' Ze aarzelde. 'Kun je een klein stukje uit Poelies vacht knippen en dat in plastic verpakken? Je moet het goed met tape dichtplakken. Aanstaande zaterdagavond wil ik het meenemen naar de seance van het Amsterdams Spiritistisch Genootschap. De Vlaamse mevrouw Beernaert de Muelenaere komt, dat is een heel bekend medium, ze spreekt met zo'n grappig accent en...'

'Wat moet er dan met dat stukje vacht gebeuren?' onderbrak ik haar achterdochtig.

Ze legde uit dat ze het stukje vacht aan het medium wilde overhandigen.

Ik staarde door het raam van de keukendeur naar de armoedige achterzijde van de huizen aan de overkant.

'Luister je?' Er was iets scherps in haar stem.

Uit het keukenkastje nam ik een plastic diepvrieszakje, de schaar en het rolletje tape.

'Als ik je daar een plezier mee doe.'

Ze maakte me altijd moe, er was iets in haar dat na een uur loodzwaar op me drukte.

Een week later kwam ze me opgewonden over de seance vertellen.

Zodra ze het 'object' aan het medium had overhandigd, sloot de vrouw haar hand om het minuscule pakje. Ze raakte al snel in trance en begon overdreven te miauwen en te blazen, wat bij de aanwezige dames een ongebruikelijke hilariteit veroorzaakte. Ze was net een woedende kat, zelfs haar oren leken groter.

In het verdere verloop van de seance klonk een schorre mannenstem via het medium, in het Duits schreeuwend dat 'Het Duitse volk niet Duits genoeg meer was'.

Hierna verviel het medium enkele minuten in een onverstaanbaar gemompel. Toen riep ze met een van woede vertrokken gezicht hysterisch: 'DER EWIGE JUDE' en: 'GEFÄLLT EUCH DIE JUDENSCHAFT...' Ten slotte hief ze haar rechterarm gestrekt tot even boven haar schouder en viel flauw.

Nu vielen mediums wel vaker flauw, maar dit keer kwam het medium niet spontaan bij. De GG & GD moest eraan te pas komen.

'Ze kan niet uit haar trance komen,' verklaarde de voorzitster, terwijl de verpleegkundige de vrouw zuurstof toediende.

De seance was bijzonder paniekerig geëindigd en Louise voelde zich daaraan schuldig.

'De tachtigjarige mevrouw Köffler was ook aanwezig,' vertelde ze, 'tijdens de oorlog woonde zij in Berlijn en had Hitler daar enkele malen in het echt zien spreken. Mevrouw Köffler concludeerde op grond van stem, gebaren en mimiek, die via het medium doorkwamen, dat Hitler zich hier ongetwijfeld manifesteerde.'

Ze maakte me knap zenuwachtig. Ik trachtte mijn onzekerheid te verbergen, liep naar de slaapkamerdeur en riep: 'Hitler!'

Prompt spitste hij zijn abnormaal grote oren, een hevige trilling trok door zijn lijf, zijn rugharen gingen steil overeind staan en zijn staart werd zo dik als een plumeau. Met een harde bons sprong hij enkele malen tegen het glas, maar dat was nu van onbreekbaar materiaal.

'Ik blijf hier geen minuut langer!' riep Louise, 'zijn straf is nu in een kattenlijf te moeten leven, maar je ziet het, zijn fanatisme is nog ongebroken.'

Op een mistige ochtend ging ik met hem naar de dierenarts voor de definitieve oplossing van mijn kattenvraagstuk. Ik vertelde hem hoe vals de kater was, hoe hij mij had gebeten en over de drie gedode zwerfkatten.

Weer trok de dokter dikke grijze handbeschermers aan. Met behulp van de assistente werd Poelie de Verschrikkelijke uit zijn korf getrokken, een heel karwei want hij was nu reusachtig sterk.

De dokter nam een forse injectiespuit, vulde deze met

een oranje vloeistof, stak de naald diep in Hitlers rug, waarna de substantie in diens harige lijf verdween.

Na een minuutje werd het dier doezelig. Met een gevoel van wroeging aaide ik hem nog even. Toen viel hij om; zijn sluitspier verslapte, waardoor een plas dunne ontlasting uit zijn anus liep.

'Afgelopen,' zei de dokter laconiek, 'wilt u het korfje weer meenemen?'

'Alstublieft niet, gooit u het maar weg.'

Hij schoof de dode kat erin, de assistente dweilde de troep van de metalen tafel.

Soms kwelt mij een gevoel van zelfverwijt.

Ik zie Hitler voor me in zijn laatste momenten; hoe zijn gifgroene ogen snel verdoffen, de oogbollen kantelen en een melkachtig vlies tonen. Ik zie hem als een blok machteloos op zijn zijde vallen.

Waarschijnlijk ben ik de enige jood ter wereld die heeft gehuild om Hitlers dood.

Kat en de liefde

Vier jaar geleden had Otto een anderhalf jaar oude cyperse kater uit het asiel gehaald.

De eerste weken was ook zijn vrouw Ada ermee verguld geweest – uit hun vreugdeloze omarmingen waren geen kinderen voortgekomen. Toen bleek dat de kat het meest naar hem trok had Ada het dier volkomen genegeerd, ze gaf hem zelfs niet meer te eten; dat moest Otto maar doen.

'Kat', zoals Otto hem had gedoopt, was niet vet maar wel buitenproportioneel. Gemeten vanaf zijn snuit tot aan het uiteinde van zijn weelderige staart mat hij zo'n honderdtien centimeter en als hij zich uitrekte wel honderdentwintig centimeter.

Vaak kuste Otto de grote kop met de brede neusrug. Kats goudgroene ogen met kleine of grote zwarte pupillen – al naargelang van het licht – keken hem dan zacht en begrijpend aan.

Kat was het enige levende wezen aan wie Otto zijn affectie kwijt kon.

Betrapte Ada hem op die handeling, dan wees ze met een wijsvinger naar haar bolle voorhoofd.

In de buurt waar Otto en Ada woonden, beweerde men dat het echtpaar een tijger als huisdier hield. Anderen maakten er een hyena, vos of wolf van. Als verstokte stedelingen konden ze de verschillende soorten kat- en hondachtigen niet van elkaar onderscheiden.

Als Otto in zijn bed stapte volgde Kat hem en sprong op zijn hoofdkussen. Omdat het dier zo groot was geworden had Otto een speciaal kussen laten vervaardigen dat éénennegentig centimeter lang en éénenvijftig centimeter breed was.

Toen Ada en hij in aparte kamers gingen slapen had hij een twijfelaar voor zichzelf aangeschaft.

Meestal lag hij voor het slapen nog even te lezen. Nadat hij het leeslampje had uitgedaan en het kamertje nagenoeg in duisternis was gehuld, placht Kat zijn warme vacht met kracht tegen zijn hoofd te duwen. Tegelijkertijd begon hij zo nadrukkelijk te spinnen dat het resoneerde in Otto's hoofd.

Het duurde altijd even voordat het dier zijn draai had gevonden; hij ging staan en besnuffelde uitgebreid gezicht, haar en oren van zijn baas. De aanraking van Kats koude en enigszins natte neus en het gekriebel van zijn snorharen ervoer Otto bijna als iets erotisch.

Na het snuffelritueel ging Kat weer liggen, zijn warme vacht tegen Otto's hoofd aandrukkend.

*

Eens had Otto gedroomd dat Kat enorm was en hijzelf dermate klein dat Kats voorpoten hem als zuilen voorkwamen. Ada kwam in die droom de huiskamer binnen; ook zij was gekrompen.

'Grijp haar, Kat!' riep hij.

Onmiddellijk stak Kat een van zijn imposante zuilen uit en haalde met uitgestoken naaldscherpe klauwen Ada naar zich toe.

Overal waar zijn nagels in haar vlees drongen begon het hevig te bloeden. Haar gezicht was in doodsangst verwrongen en ze gilde dat het een lieve lust was. Met voldoening bezag Otto het tafereel. Uiteindelijk verorberde Kat haar luid smakkend met huid en haar, jurk en schoenen.

Met wellust dacht Otto vaak terug aan die droom, die hij koesterde. Kat haatte Ada. Hoe vaak zwierf hij niet hongerig en dorstig door het huis en door de tuin als Otto naar zijn werk was? Doordat Kat zo log was geworden, kostte het hem ook veel meer moeite nog een muis, pad of vogeltje te vangen.

Geheel beneden zijn waardigheid begon hij zelfs vuilniszakken open te scheuren als hij door het plastic heen de geur van vlees of vis bespeurde.

Het bedrijf waar Otto werkte ging failliet. Voor een nieuwe betrekking werd hij te oud bevonden. Ten slotte belandde het echtpaar in de bijstand.

De man die zijn vrouw al jarenlang haatte, liep gearmd met haar door de drukke Amsterdamse Kalverstraat. Hoe kon dat mens zo langdurig kwebbelen zonder ook maar iets van relevantie te melden, dacht hij geïrriteerd.

Soms fantaseerde hij dat hij haar de tong uitsneed. Het was maar een klein hapje, maar misschien zou Kat haar rauwe of gekookte tong wel appreciëren.

Voor menige etalage bleef Ada staan. Met haar enigszins puilende ogen en een trek van woede bekeek ze de artikelen die buiten haar bereik lagen. Hij, die volgens haar daaraan debet was, stond gelaten naast haar.

Hij verafschuwde de materialistische, computergestuurde maatschappij die steeds doordringender de geur van ontsmettingsmiddelen begon uit te wasemen.

'Waarom neem je geen baantje als vakkenvulster of caissière bij een supermarkt? Dan kun je eindelijk de dingen kopen die nu onbereikbaar voor je zijn,' had hij haar eens voorgesteld. Woedend had ze gereageerd.

'Ik een baan nemen? Jij hoort voor me te zorgen, slampamper die je bent.'

Op een druilerige zondagmiddag zat ze bedragen in haar huishoudboekje te bestuderen.

'Nu moet het maar eens uit zijn met dat zorgen voor die smerige zwerfkat, Kat kost ons al genoeg. Dat bakbeest is veel te duur voor ons wat voeding aangaat.'

Hij was net verdiept in een interessant krantenartikel. Zelfs in rust zijn krantje lezen was hem niet gegund.

In de grote rommelige tuin van het pakhuis waar ze tegenover woonden, verzorgde hij al enkele maanden een haveloze, kleine zwerfkat. Hij of zij – het schuwe dier liet zich niet aanhalen – had een muisgrijze vacht en een grappige witte neuspartij.

Soms, voor hij naar bed ging, liep hij in pyjama en ka-
merjas met een schaaltje melk en een bakje Hills brokjes
nog even die tuin in.

Ada bleef doorrazen.

'Heb je eigenlijk wel eens uitgerekend wat alleen die
stomme zwerfkat ons per maand kost? Al die blikjes
Whiskas, al die pakken kattenbrokjes. Er wordt verdomme meer geld aan die rotkatten besteed dan aan mij, en ik
ben een mens.'

'Meen je dat nou?' reageerde Otto, die zich tevergeefs
op zijn krantenartikel trachtte te concentreren. Maar ze
wist van geen ophouden, de hysterica.

'Of jij belt de gemeente, of ik doe het. In het buurtblad
van deze week staat dat ze binnenkort grote opruiming
onder de zwerfkatten gaan houden, dat fokt maar aan.'

Hij zweeg en zette zich schrap. Als ik voor de keuze
zou worden gesteld liet ik jou opruimen, dacht hij met een
gevoel van machteloosheid.

Maar de hysterica in haar was nog steeds niet uitge-
raasd.

'Kat en die zwerfkat zijn belangrijker voor je dan ik,
hè?' gilde ze. Ze greep de bijna lege theepot en smeet die
tegen de muur.

Misschien wordt ze gek omdat ze in de overgang zit
of omdat ze al jarenlang seksueel onbevredigd is, ging het
door zijn hoofd.

Hijzelf had al heel lang geen behoefte meer aan seks,
althans niet met zijn wettige echtgenote.

Zich met moeite beheersend stond hij op.

'Ik ga naar bed.'

Met neergeslagen oogleden verliet hij de huiskamer. Kat, die zoals altijd trouw naast zijn stoel had gelegen, volgde hem. 'Ga Kat maar neuken!' gilde Ada hem achterna.

In de slaapkamer sprong Kat meteen op zijn bed en keek hem verwonderd aan, voorzover dat bij katten mogelijk is.

Met zijn koude, nattige neus besnuffelde hij Otto's wangen, die hij even later al spinnend met zijn grote raspige tong begon te likken. Kat hield wel van iets zoutigs.

De laatste kat

Op die kille oktoberavond in 1997 stond ik voor de deur van het appartementencomplex waar ik aan de achterzijde twee kamers bewoon. Ik wachtte op de komst van mijn vriendin Margreet uit Rotterdam die door haar dochter zou worden gebracht.

Anderhalf jaar daarvoor was ik geïnterviewd door een medewerker van het blad *Mens & Gevoelens* van Paul Haenen. Margreet las dat blad en schreef me via mijn uitgever een brief waarin ze mij verzocht haar mijn boek *De kip die over de soep vloog* te willen zenden. Ik herinner me niet meer of ik dat heb gedaan, ik meen van niet.

Ik heb haar toen wel een vriendelijk briefje teruggeschreven en zo ontstond er een correspondentie die via mijn postbus liep. Op een gegeven moment schreef ze dat ze toch wel wist waar ik woonde, namelijk aan de Nieuwe Keizersgracht, ze noemde echter geen huisnummer.

Later kwam ik erachter dat ik op een aan mij geadresseerde envelop mijn huisadres had doorgestreept en weer hergebruikt. Het huisnummer had ik wel goed doorgestreept. Maar ik trapte in haar val en van het een kwam het ander.

Af en toe ging ik enkele dagen naar Rotterdam of kwam zij naar Amsterdam, zo eens in de anderhalve maand. Als ze enkele dagen kwam vond ik het wel leuk, maar als ze vertrok was het me ook niet onwelgevallig.

Het vervallen gebouw waar ik woon is meer dan honderd jaar oud. Het was vroeger het zusterhuis van een aanpalend ziekenhuis dat na de oorlog is gesloopt. Er bevinden zich dertig tweekamerwoningen. Tegenwoordig staat het op de monumentenlijst. Er is een antiek trappenhuis met veel marmer en antieke bruin-witte tegeltjes.

De 'binnenring' is hoefijzervormig, met smalle galerijen. De deuren van de woningen waren indertijd van een dof groen en aan de hoeken bevonden en bevinden zich metalen kronkelend oplopende brandtrappen.

Toen Margreet me voor de eerste keer bezocht vond ze het net een gevangenis.

'Dan ben ik de bewaker!' merkte ik op en rammelde met mijn sleutelbos die ik altijd aan mijn riem draag.

Er stonden wat vuilniszakken bij het portiek die ineens door de koplampen van de oude Mercedes van Margreets dochter werden beschenen. In een flits zag ik een kleine, zwarte broodmagere kat vanachter een vuilniszak wegrennen.

Het hongerige dier had de zak half opengescheurd in de hoop wat eetbaars te vinden.

De Mercedes stopte en Margreets dochter Gerda draaide het portierraampje omlaag. In het schaarse licht – de lamp in de lantarenpaal bij de gracht was kapot – zag ik haar profiel met het zwarte haar dat glanzend en golvend langs haar linkeroog en wang viel. In een flits dacht ik aan de actrice Alida Valli uit de film *The Third Man*. Hoe kwam ik daar nu ineens op, ik had die film nota bene een kwarteeuw geleden gezien.

Gerda stapte uit en gaf me een zoen. Ik liep naar het andere portier, Margreet stapte uit en we zoenden elkaar. Ze had een grote weekendtas bij zich.

'Alles goed?' vroeg ze. Ik knikte.

'Nou mams, ik ga maar weer hoor,' zei Gerda.

Ik vroeg haar of ze geen koffie wilde maar dat aanbod sloeg ze af. Ze startte de motor, wuifde nog even naar ons en weg was ze.

Ik nam Margreets weekendtas en we gingen naar binnen.

In de oude, trage lift gekomen omarmde ze me en drukte me hard tegen zich aan.

'Ik ben vandaag toch zo aangelegd,' zei ze. Ik zag dat ze kleurde. Ik kende die uitdrukking niet maar begreep haar wel. Misschien was het Rotterdams. Ik zou het wel eens nakijken in mijn oude Van Dale.

Ik dacht aan die magere, kleine kat. Bovengekomen pakte ik een plastic eetbakje en opende een blikje kattenvoer; misschien was die kat nog in de buurt. Ik pakte ook mijn zaklantaarn.

'Waar ga je heen?' vroeg Margreet.

Ik vertelde haar van de kleine magere kat die was weggerend. 'Ben zo terug, even kijken of die kat er nog is, dan heeft 'ie tenminste wat te eten.'

'Je bent wel beleefd, nauwelijks ben ik binnen of jij gaat

die kat zoeken!' Het klonk alsof ze zwaar was beledigd.

'Zet maar vast thee of koffie!' en weg was ik met mijn kattenvoedsel.

Buitengekomen scheen ik met de zaklantaarn onder elke geparkeerde auto, onderwijl de sissende geluidjes producerend die alle kattenliefhebbers kennen. Onophoudelijk riep ik: 'Poesje, poesje kom maar!' vooruitlopend op de eerste roepnaam die ik het dier zou toebedelen.

Toen ik bij de Weesperstraat was aangekomen zag ik iets donkers wegschieten over de brug en toen rechtsaf hollen. Ik liep de brug over en zag nog net hoe het diertje onder een geparkeerde auto wegschoot. Behoedzaam zette ik het bakje met eten onder de auto en ging huiswaarts in de hoop dat de kat wat zou eten. Ik was van plan een halfuur later te gaan kijken of het bakje leeg was.

Al vanaf 1983 had ik een grote lapjeskat, Vlek, die dankzij een hoer in mijn leven was gekomen.

Van 1980 tot 1990 bewoonde ik een krot op éénhoog in de Balistraat, een boom-, kleur- en zonloze straat die gaandeweg door schorem werd overgenomen.

Beneden me woonde een bijna dove alcoholist met één been die overal rondbazuinde dat hij een Koreaveteraan was. Hij pronkte met diverse lintjes. Later kwam ik erachter dat hij die lintjes op de vlooienmarkt aan het Waterlooplein had aangeschaft.

Rechts beneden me woonde een dikke hoer van een jaar of vijftig die in alle jaargetijden met haar grote, omhooggeduwde uiers pronkte – haar uithangbord. Het zou me niet verwonderen als de Gemeente Amsterdam daar nog eens precariorechten op zou heffen.

De prostituee die zichzelf de romantische naam Natasja had gegeven, verzocht me af en toe een half witbrood voor haar mee te willen nemen als ik boodschappen ging doen.

In de buurt waren ze een beetje bang voor haar, want ze kon agressief tekeergaan.

Ze had twee kamers waarvan er één totaal in beslag werd genomen door een groot roze hemelbed met roze sprei. Dat bed was voorzien van veel glanzende koperen spijlen en bollen.

Op de sprei lag altijd een groot wit badlaken in verband met haar klandizie.

Ze had een bijzonder nerveuze huiskamer, volgestouwd met kitschbeeldjes en poppetjes maar vooral met telefoons in alle kleuren en maten. Er was er zelfs één bij van roze marmer met een gouden draaischijf en hoorn. Ik vroeg me af of ze allemaal waren aangesloten. Als één van die telefoons rinkelde – er stonden er wel vijftien – hoe wist ze dan de juiste op te pakken?

Ondanks haar vijf kilo aan tieten en haar herseninhoud ter grootte van een garnaal kon ik niet ontkennen dat ze een erotisch fluïdum uitstraalde. Daarmee bezat ze toch een zekere macht.

Wel viel me op dat ze zichzelf vaak aan het krabben was; er zaten altijd puisten of puistjes op haar gezicht, handen en hals en wie weet waar nog meer. Het was de reden waarom ik een kopje koffie altijd weigerde.

In mijn dagboek had ik haar beschreven als een weg-werpvrouw omdat ze zichzelf door haar beroep tot zoiets had gedegradeerd.

Maar tenslotte bezat ze bepaalde talenten en waarom zou ze die niet uitbuiten? Een baantje als werkster bracht ook niet veel op en nu had ze er zelf een.

Een gesprek met haar op laag niveau, ik bedoel een-voudig niveau behoorde ook tot de mogelijkheden.

Toen ik weer eens een half brood voor haar had ge-haald, vertelde ze me dat er die ochtend een Turkse klant bij haar was geweest.

Omdat ze op haar manier aan klantenbinding deed had ze hem gevraagd: 'Hoe heet jij?' Waarop de Turk 'Ik heel heet' had geantwoord.

Op een avond belde Natasja bij me aan. In een mum van tijd had ze haar omvangrijke lichaam de steile trap op-gehesen en stond ze in mijn woning. Prettig vond ik dat niet. Elk bezoek ervoer ik als een onaangename inbreuk op mijn privacy.

'Nou, hier is het een bende, je ken wel sien dat er geen vrouwenhand zwaait,' merkte ze op en plofte brutaal in een brede fauteuil die ik eens op straat had gevonden.

'Heb jij misschien wat kattenvoer en kattenbak-strooi-sel voor me?' vroeg ze liefjes.

Verwonderd merkte ik op dat ze toch geen kat bezat. Het bleek dat ze een zieke lapjeskat in de rommeltuin had gevonden en mee naar huis had genomen.

Ze vertelde dat ze ooit een spierwitte kat had bezeten wiens ogen twee verschillende kleuren hadden.

'Waar is die kat dan gebleven?' vroeg ik.

'Die heb ik weggedaan, die was zo vals als de pest.'

Ik verstrekte haar het gevraagde en ze vertrok. Een dag later hing in mijn kamer nog de vieze, mierzoete geur van haar goedkope parfum.

Een paar dagen later kwam ik haar op straat tegen en vroeg haar of de lapjeskat was opgeknapt.

'Ja, hij is weer goed, hij vreet ook goed, mot jij 'em hebbe?'

Verwonderd vroeg ik haar waarom ze het dier niet zelf hield.

'As ze terugkomt uit de tuintjes loopt ze somaar met die vieze pote naar binne, dat geeft allemaal vlekke op me dure vloerbedekking. Je weet dat ik erg schoon en precies ben.'

Schoon en precies, dacht ik, je laat toch ook elke vent die met geld zwaait in je kut?

'Heb jij dan weleens een kat meegemaakt die vóór het binnenkomen zijn pootjes veegde?' vroeg ik haar.

Zo ben ik aan mijn lapjeskat Vlek gekomen. Aan elke kat die ooit mijn pad kruiste, kleeft een ander verhaal.

'Gezellig hoor!' mopperde mijn vriendin. 'Ik ben amper boven of meneer moet zonodig met een bakje eten achter een stomme kat aanrennen, dat is toch geen respect hebben voor een vrouw?' En zo bleef ze nog een tijdje door mopperen.

Haar betoog kwam erop neer dat ik een mij onbekende hongerige kat belangrijker vond dan een vrouw, in het bijzonder zijzelf.

Bij tijd en wijle heb ik best enige compassie met mijn medemens maar het houdt niet over en de toepassing van het woordje 'gezellig' is niet aan mij besteed.

Die nacht in bed dacht ik weer aan die kat; zou het eetbakje leeg zijn? Geruisloos kleedde ik me aan en ging de gracht op. Het bakje was gelukkig leeg. Even later viel ik opgelucht in slaap.

Inmiddels was het december 1997. De conditie van Vlek ging zienderogen achteruit. Ze poepte her en der, gelukkig keiharde keutels die op verdroogde kastanjes leken. Je zou er niet gauw over uitglijden.

Ze liep wat moeilijk vanwege stijfheid in haar gewrichten.

Bij mijn laatste bezoek aan de dierenarts had hij haar op ruim negentien jaar geschat.

'Echt stokoud voor een kat,' had hij gezegd.

Het viel me ook op dat haar flanken zo waren ingevallen en ze dronk opvallend veel. Ik wist dat haar tijd gekomen was maar schoof het voor me uit zoals ik altijd alle onaangename zaken in mijn bestaan eindeloos voor me uit had geschoven.

In actie kwam ik pas als ik met mijn rug tegen de muur stond. Aan dat dier was ik enorm gehecht.

Zat ik achter de schrijfmachine dan zat ze op de tafelhoek naar me te kijken, tevreden spinnend. Was ik in de

69

keuken bezig dan ging ze daar naar me zitten kijken. Voelde ik me niet lekker en ging ik overdag op bed liggen, dan kwam ze voorzichtig naast me op het hoofdkussen. Was ik vergeten het water in haar drinkbakje te verversen dan zat ze me op de rand van het aanrecht dwingend op te wachten en likte van de waterstraal uit de kraan. Vlek en Frans, je zou het een symbiose kunnen noemen.

Mijn vriendin was weer eens naar Amsterdam gekomen. Toen ze Vlek zag, zei ze: 'Dat beest is op.' Ik reageerde niet.

'Wat zou je erger vinden,' vroeg ze bedachtzaam terwijl ze haar koffiekopje pakte. 'Als Vlek dood zou gaan of ik?'

'Als Vlek zou overlijden natuurlijk,' flapte ik er stante pede en zonder na te denken uit.

Onmiddellijk hadden we ruzie en werd ik met verwijten overstelpt; wie stelt er nu zo'n vraag?

Om de ruzie wat op de achtergrond te dringen vertelde ik haar dat ik nu dagelijks het kleine zwarte poesje te eten en te drinken gaf bij de poort van het verpleegtehuis, naast het appartementencomplex waarin ik woon.

'Ja, geef die kat ook maar veel aandacht,' reageerde ze. Ik ging daar niet op in.

'Maar ze is zó schuw en onaanraakbaar,' zei ik.

Onze verdere avond bleef verpest door mijn onnadenkend antwoord.

Het was beginnen te vriezen. In de tuin, bij de poort waar 's morgens vroeg vaak de stoffelijke overschotten van de oudjes werden opgehaald, had ik een kartonnen doos gezet met een oude pyjama erin zodat het poesje daarin kon kruipen.

Toen ik haar weer eens eten bracht, zag ik dat ze in haar (ik nam aan dat het een vrouwtje was) flank een grote wond had. Was het een hondenbeet of was ze door een scherp uitsteeksel van een schutting verwond?

De volgende dag zette ik haar eten in mijn oude rieten kattenkorfje. Ruim een uur wachtte ik. Toen verscheen ze en stapte nietsvermoedend het korfje in. Razendsnel sloot ik het deurtje. Ik nam haar mee naar boven waar ik meteen de dierenarts voor een afspraak belde.

Met een taxi ging ik naar de kliniek aan de Middenweg. De dierenarts ontsmette de wond, keek in haar poeperd, maar ze had wonder boven wonder geen maden. Sporen van vlooienbeten ontbraken eveneens.

Haar leeftijd schatte hij op acht maanden. Hij gaf haar een injectie en ik kreeg antibioticacapsules mee.

Thuisgekomen ontstond er een probleem. Het poesje – meteen Poesje gedoopt – rende als een gek door de woning, sprong tegen de muren op en trok met haar vlijmscherpe nageltjes hele repen behang naar beneden. Natuurlijk was ze de onbeperkte ruimte van tuinen en straten gewend. Ze voelde zich opgesloten in een woning.

Vlek, zo oud en stijf als ze was, scheen plotseling vol nieuwe energie. Met een dikke staart van woede achtervolgde ze de nieuwgekomene en haalde grommend en blazend naar haar uit.

Waarom werd op haar oude dag haar territorium zo bruut geschonden?

71

Er zat niets anders op dan de dieren van elkaar te scheiden. Vlek in de huiskamer met een kattenbak en Poesje in de slaapkamer met een kattenbak.

Helemaal zwart van vacht was Poesje niet. Haar pootjes hadden kleine witte sokjes, ze had een witte bef en haar neuspartij was wit. Opmerkelijk was dat ze op haar buik, even achter haar voorpootjes, een witte tekening had in de vorm van een hart.

Ze liet zich nu ineens aanhalen en als ik tegen haar praatte antwoordde ze met een zacht gemekker, echt miauwen was er niet bij.

Het was wel lastig om de dieren steeds uit elkaar te houden. Opende ik een deur dan was óf Vlek óf Poesje al de gang op, op zoek naar elkaar, gereed voor een vechtpartij.

Toen Margreet weer eens een paar dagen bij me was, gebeurde er iets vreselijks. Ineens was Poesje verdwenen, nergens te vinden, want katten kunnen zich uitmuntend verstoppen.

Het kon niet anders of ze was via mijn voordeur de galerij op gegaan en de brandtrap af, daarna waarschijnlijk over een schutting geklommen waarna ze weer in haar oude, min of meer vertrouwde domein, de tuin van het verpleeghuis was beland.

Dag in dag uit tot 's avonds laat liep ik almaar in die tuin en langs de gracht haar naam te roepen, maar geen spoor.

'O, die komt wel weer terug hoor,' meende mijn vriendin. 'Misschien voelde ze zich opgesloten, vooral in die slaapkamer.'

Maar ik gaf mijn zoektocht niet op. Toen ik op een avond weer onverrichter zake bovenkwam, barstte ik in tranen uit.

'Als er maar niets ergs met haar is gebeurd, ze moet toch ook eten?'

'Je lijkt wel een wijf! Welke vent van vijfenzestig gaat er nou om een kat grienen?' zei Margreet met een harde blik op haar gezicht.

'Ik!' snotterde ik. 'En verdriet heeft niks met manne-lijk, vrouwelijk of leeftijd te maken, knoop dat eens goed in je oren.' Er viel een onbehagelijke stilte tussen ons.

'Schrijf je nog weleens wat?' probeerde ze het over een andere boeg te gooien.

'Ik heb meer stof in huis dan stof tot schrijven,' rea-geerde ik, snotterig mijn neus ophalend.

Toen ging ze daarop weer in. Volgens haar was ik altijd al vies in huis geweest, ook in mijn krot in de Balistraat. Ze was daar nooit geweest maar ze had wel gelijk.

'Mijn kinderen zijn allemaal even schoon, Jackie strijkt zelfs zijn overhemden en handdoeken.' Daar kon ik het mee doen. Daarna volgde nog een verdere uitweiding over de nette en schone kwaliteiten van haar vier kinderen die minstens een halfuur in beslag nam.

Ik miste mijn kleine zwarte dametje heel erg, het begon aan me te vreten. Ik dacht aan haar immer zwiependе staart. Tijdens het eten, als ze op de vensterbank zat of als ze sliep, dat staartzwiepen ging maar door. Heel af en toe was de staart in rust. Was het een automatisme, een teveel aan energie, een afwijking? Nog nooit had ik een kat gehad die bijna continu met zijn of haar staart zwiepte.

Ruim een week later liep Poesje doodgemoedereerd in de tuin van het verpleeghuis. Ik riep haar. Ze kwam naar me toe en streelde met haar kop langs mijn broekspijp. Van haar vroegere schuwheid was niets meer te merken. Ontroerd pakte ik haar op en kuste haar op de snuit. Haar scherpe nageltjes klemden zich vast in het vlees van mijn rechterbovenarm.

Ik liep met haar naar de lift.

Thuisgekomen sprong ze meteen vanuit mijn armen op de grond.

Ze liep meteen naar een bakje met Hill's brokjes en begon gulzig te knabbelen, maar dat was haar niet gegund. Vlek was eraan gekomen en onmiddellijk ontstond een fel gevecht met veel geblaas en gegrom. Ik kon maar niet bevatten dat die stokoude kat dat nog allemaal kon opbrengen.

Eindelijk kon ik de twee scheiden. Ik zette Poesje weer in de slaapkamer. In de huiskamer durfde ik haar niet te zetten in verband met het balkon. Vlekje wist hoe hoog het was maar Poesje zou wellicht naar beneden springen en van vierhoog op de tegeltjes te pletter vallen. Op dat moment werd me duidelijk dat ik net zo overbezorgd voor mijn katten was als mijn moeder ooit voor mij was geweest. Maar goed dat ik nooit kinderen had gehad – zo'n overbezorgde neurotische vader geeft zijn kinderen een trauma mee.

Een week na het laatste kattengevecht ontdekte ik bij Vlek een forse wond aan haar staart, die bloederig was en zelfs stonk. Ik maakte weer een afspraak met de dierenarts.

Wat bleek? Tijdens het gevecht was een nageltje van Poesje, althans het omhulsel daarvan in de vorm van een scherp half maantje, in Vleks staart gedrongen en had daar een infectie veroorzaakt.

Mijn vreugde was groot toen ik tot mijn grote verbazing beide dames slapend in Vleks kattenmand aantrof. Toen Vlek wakker werd begon ze Poesjes kleine kop te likken.

Die vond dat wel prettig en ze strekte haar voorpootjes uit waarvan ze de nageltjes beurtelings strekte en weer introk. Op haar oude dag kon Vlek haar moederlijke gevoelens uiten en Poesje was weer even in haar moeders nest.

Vleks conditie ging zienderogen achteruit. Ik wist dat haar einde nabij was maar ontkende het – egoïstisch omdat ik van mijn genegenheid voor haar uitging en niet aan haar snel verslechterende gezondheid wilde denken.

Op een zaterdagavond, het goot pijpenstelen en er stond een gure wind, kon ik het niet langer aanzien. Vlek sleepte zich moeizaam voort, viel af en toe zelfs om.

Nu moet het gebeuren, nu, zei ik tegen mezelf, anders heb ik de kracht er niet meer voor. Ik belde de Spoedkliniek voor Huisdieren aan de Weesperzijde en maakte een afspraak voor tien uur.

Ik legde een handdoek in het oude rieten kattenkorfje, tilde Vlek op en zette haar erin.

Glazig en vragend keken haar goudgroene ogen naar me op.

De dierenarts onderzocht Vleks bloed; het bleek dat haar nieren totaal niet meer werkten, daardoor was ze vergiftigd.

Het was, concludeerde hij, een hopeloos geval.

Rustig zat ze op de metalen tafel om zich heen te kijken toen ze haar eerste spuitje kreeg. Ik bleef haar maar aaien.

'Nu zou ze doezelig moeten worden, constateerde de arts. Daar was echter geen sprake van.

'Nu geef ik haar de definitieve injectie,' zei hij en prikte weer.

Ik had verwacht dat Vlek nu op haar zijde zou vallen maar niets daarvan; ze bleef rustig en onbeweeglijk zitten, keek me zelfs aan.

De arts wachtte even, consulteerde zijn horloge.

'Het lijkt wel of deze kat niet dood kán gaan...' zei hij met zachte aarzelende stem. Hij was nog betrekkelijk jong, misschien had hij een dergelijk fenomeen nog nooit meegemaakt.

Toen kwam de derde injectie. Enkele seconden later viel Vlek op haar zijde – het was afgelopen. Ik slikte en probeerde met kracht tranen terug te dringen, bleef haar aaien over de dof geworden vacht die stug en droog aanvoelde.

De aula van de dierenbegraafplaats was klein. Op een verhoging stond het donkerbruine gepolitoerde kistje waarin datgene lag wat eens Vlek was. Het was een groot formaat kat geweest; je zou je ook kunnen voorstellen dat er een doodgeboren zesmaandskindje in dat kistje lag.

Een werknemer van de begraafplaats stond bescheiden bij de toegangsdeur. Hij droeg een zwart kostuum, zwarte stropdas en zwarte schoenen zoals bij kraaien gebruikelijk.

Voor jou is dit gewoon routine, dacht ik, en keek naar zijn smoelwerk. Hij had net zo'n uitgestreken kop als Wim Kok. Van tevoren had ik gevraagd of ik daar een cassettebandje kon afdraaien. Gelukkig was dat mogelijk.

Mijn keus was gevallen op *Variations on an Original Theme, op.* 15 van Henri Wieniawski. Violist was de twintigjarige Amerikaan Joshua Bell (die zelfs door Sir Yehudi Menuhin werd bewonderd), aan de piano begeleid door Samuel Sanders. De opname stamde uit negentienzesentachtig.

Ik wist dat het stuk ruim tien minuten zou duren en zag de kraai met een blik van ongeduld op zijn horloge kijken.

Toen ik thuiskwam gaf ik Poesje een flinke knuffel en vertelde haar over Vleks begrafenis.

Weer viel me op hoe klein ze toch was gebleven. Ze at heel matig, maar zo'n klein lichaam had natuurlijk niet zo veel nodig.

'Weet je waarom ze zo klein blijft?' opperde Margreet eens. 'Ze was vast de laatste uit het nest.' Ik begreep dat niet zo goed.

Helaas is Poesje erg eenkennig. Als ik enkele dagen

naar Rotterdam ging, zorgde een buurvrouw voor haar. Die vertelde dat Poesje onmiddellijk onder een telefoonstoeltje kroop en zich niet liet aanhalen. Til ik haar op als ik uit Rotterdam terugkom dan voelt ze lichter aan dan toen ik vertrok. Ze eet dus weinig gedurende mijn afwezigheid. Zonder mij zou ze niet lang overleven.

Ik ben verplicht haar te overleven; ik moet dus nog wat jaartjes mee.

Ik heb besloten dat Poesje de laatste kat is in mijn bestaan.

Gedichten

Coco Chanel, 1985

Vaak heb ik je iets intiems toevertrouwd
je bent zo discreet
soms meen ik dat je me verstaat –
droom je in je grenzeloze behaaglijke luiheid
over mij
zoals ik soms over jou?

[Dagboek, 1987]

GEMIS

mensen mis ik eigenlijk nooit
maar als ik een lezing heb
treinen moet helemaal naar Eindhoven
dan mis ik je kat
kwaliteitsbrokjes liggen in je eetbakje
er is vers water
en ook zacht voedsel

zul je niet te vaak je nagels
scherpen aan die nieuwe stoel
die zo lekker zit
bij de hoofdsteun puilt het sponsachtige
beige schuimplastic er al uit

was je maar een beetje mens
zodat ik je kon bellen:
'De lezing was een succes
ik ga nu naar het station
ben om 11.30u in Amsterdam
dus thuis tegen 12.00u'

na dat gesprekje ga je vast aan het
voeteneinde liggen
liever niet op het kussen
dan krijg ik jeuk in mijn nek
en oren

waarom vergezel je me niet
tot aan mijn zeventigste?
Een papegaai kan wel tachtig worden –
maar dat weet je wel
al kun je het niet verwoorden

door het donker raast de trein
waarin ik dit schrijf
en bij elke bammeldebam
kom ik dichter bij je.

[Dagboek, 1991]

Ik open mijn ogen
en kijk in de jouwe
die zwarte pupil
omrand door groenig goud
je motortje slaat aan
je raspige tong likt mijn neus
– nee ik ben niet eenzaam –
je rekt je uit
net een echt roofdier
je gaapt
je roze bek wijd open
ik hoor een tik als je die sluit
– nee ik ben niet eenzaam –

stel me voor dat je nu
naar de keuken loopt
op het aanrecht springt
op het knopje van de koffieautomaat drukt
waarin ik gisteravond
al water en koffie heb gedaan
je gaat er even bij zitten
en als het water door de filter is gelopen
pak je met je twee voorpootjes

het plastic handvat
en schenkt koffie in de beker
die ernaast staat

het allermoeilijkst het allergevaarlijkste
het alleronwaarschijnlijkste is
als je voorzichtig op je achterpootjes
balancerend
de beker in je voorpootjes
naar mijn slaaphok loopt
langzaam behoedzaam uiterst geconcentreerd –
dankbaar neem ik de beker koffie
verdomd dit is echt!
– nee ik ben niet eenzaam –
op de hele aardbol
ben je de enige kat die dit heeft geleerd.

[Dagboek, 1994]

die grote grijze kat
liep wel een halfuur
achter me aan

voor de laatste keer
in mijn bestaan
was ik naar het oude huis gegaan
als een bedevaart
de mof verdreef ons daar in 1942

als herinnering
had ik die grote grijze kat
wel mee naar Amsterdam willen nemen

toen het dier ineens
niet meer achter me liep
besefte ik dat dit een teken
was geweest
een afscheid van de kat
die we wreed achter moesten laten.

[Dagboek, 2000]

ga nu maar slapen
de deur is op slot
het gas is uit
je katten dromen al
morgen ga je luisteren naar
Wilhelm Kempff en Walter Gieseking
ga je linzensoep maken
alles op je eigen kleine aardbol.

[Dagboek, 2003]

KROMMENIE 1943

herinnering
altijd meer of minder
dan echt geleefd
zoals kikkers en salamanders
een slootje met kroos
een wit houten bruggetje
de geur van mest
die blauwe autoped uit Heemstede nog
met massieve banden
verwoed steppen op die smalle weg
tussen weilanden
teruggaan bij de spoorwegovergang
aan de overkant de cacaofabriek

lopend met het witte hondje van een boer
(zonder die kleine fletse foto
was het hondje weggeraakt)
mijn vierkante meter tuin
waarin ik tuinkers zaaide
de oorlog die ik nauwelijks begreep
uit gemompelde antwoorden bestond
ergens ver weg onduidelijk woedde

een schommel en een wip
vriendjes zonder gezicht
een moeder die vervaagde

toen die boer van het hondje
een nest jonge katjes verdronk
de moederkat dag en nacht
overal miauwend zocht
heb ik nooit meer met dat hondje
gewandeld
draaide ik mijn hoofd de andere kant op
als ik langs zijn boerderij kwam

mijn pleegouders hadden een kat
een grijze een schuwe een vluchtkat
die in de schuur moest slapen
en leefde van restjes warm eten
dus verborg ik stukjes vlees
en legde die 's avonds in de schuur
trachtend niet te denken
aan Wortel onze grote rode kater
die op moeders bed sliep
en die we moesten achterlaten

een drukdoende man
een vreemde
met een fototoestel
die op bezoek kwam
foto's maakte van mij

en de anderen
ik ben je vader zei hij
gaf me een kleurig doosje
deksel open
en er klonk o wonder muziek

alles verwarrend
geen zekerheden
toch niet ongelukkig
soms tokkelend
op de gezinsmandoline.

[2003]

ZEER TIJDELIJK GELOVIG

vandaag ben ik gelovig
van 's middags twaalf
tot 's avonds twaalf

O Heer als er wel een mensenhemel is
laat mij daar niet in terechtkomen
maar als er ook een kattenhemel
bestaat: graag

U moet wel over miljarden oren beschikken
om die onstuitbare stroom gebeden
te kunnen beluisteren
U werkt toch niet samen met de Amerikanen
en hun gigantische afluisterschotels?

vier uur is het nu
nog acht uur te geloven
in 'iets' dat moeiteloos mijn
meest geheime gedachten zou lezen
maar altijd doof en blind bleef
voor mijn noden

mijn katten
(nee tot twaalf uur ook de Uwe)
hebben mij immer getroost
vertroeteld met hun kleine geluidjes
ontelbare kopjes en raspige likjes

als ze me eens strak aankeken
vermoedde ik dat ze het wisten –
die machteloosheid soms in hun blik
niet bij mensentaal te kunnen.

[Dagboek, 2006]

Ca. 1935

DICHTERBIJ

steeds dichterbij kom je
ik ben weer van jou
jij van mij
grijs ben je
in lange zwart fluwelen jurk
met dat parelsnoer
waarin ik zo graag gulzig grijp

onze katten
– alleen de grote spierwitte
herinner ik me –
rollebollen in het pas
gemaaide gras

in wit gebreid kruippakje
donkerblonde lange krullen
armpjes vooruit
ren ik in je
moeder.

[2007]

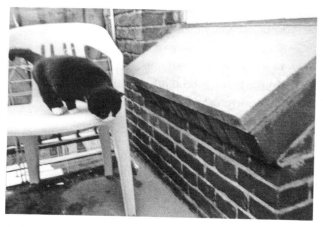

Poelie Poesje Poentje, 2001

De tijd is rijp
de zon staat breed
aan het ziekenhuisraam
morgen mag ik naar huis
hoge koorts, veel pijn,
weer overleefd
twaalf verschillende pillen
nu per dag
doos Pointl voor klein chemisch afval
ik heb arteritis temporalis in mijn kop
nee dit is geen klassiek pianoconcert

Eenmaal thuis
zal Vladimir Horowitz
voor me spelen
de kleine elfjarige Poelie Poesje Poentje
zal op mijn stoelleuning
zitten behaaglijk spinnend –
momenten van geborgenheid en vrede
in een piepklein universum
tijdelijk helaas tijdelijk.

ONDERWEG

Een vreemd en wild verlangen
verbuigt de tralies
van mijn grauwe kooi
verlangen naar een verre vlucht
eindpunt onbekend

als de tralies zijn doorgevijld
met de vijl van verlangen
vlieg ik door ramen
die zonlicht hebben geweerd
over de fletse daken van mijn falen
over mijn rivier
met nutteloos geplengde tranen
over de witte tenten
van mijn vergeefs geschreven brieven
over alle spullen mij
ontstolen door de weinigen
die ik beminde
even hoor ik nog een vale
echo van hun liefdeloze stemmen

in de diepte in felgroen kort
gemaaid gras
ontwaar ik al mijn vroegere katten
levend nu tezamen in een roedel
kijk ze spitsen hun oren
hun snuitjes snuffelend heffend
mijn geur! eens hun veiligheid

door vlieg ik door
door regen, dauw, donder, bliksem,
sneeuw, hagel, nacht en verzengende zon

zonder ogen waar eens het licht
in blonk
zie ik in een flits de allerliefste
die mij het rotleven schonk
wijd strekt ze haar armen
als een zon
glanst zilverachtig haar lange haar
maar ik ben al voorbij mijn bron
Utopia staat op mijn kaartje
voorlopig vlieg ik nog verder
met een aardig vaartje.

[2007]

Vlek op balkon

LEVENSPARTNERS

als ik terugdenk
aan mijn levenspartners
denk ik aan Lily, Vlek, Pipo, Marije,
Donder, Poekelie, Prinses, Coco Chanel en ga
zo maar even door
allemaal gevonden zwervers

elke keer dat er een stierf
kwam ook ik dichter bij mijn einde

Malle Teta de baglady die
beneden mij woonde zei eens:
'dieren komen niet in de hemel
daarom moeten wij ze
de hemel op aarde geven.'
en dat heb ik gedaan.

[Dagboek, 2007]

KLOTEWIJF

bij die dame was ik op visite
ze was minstens tien jaar ouder dan ik
flink opgemaakt
met al haar make-up
zou je een taart kunnen glazuren

ze wauwelde wat over haar dode man
in een vitrinekastje lag zijn horloge
SULLY WATCH – 15 RUBIS
stond op de ingedeukte wijzerplaat
het glas was gebroken
daar was die vrachtwagen ook overheen gereden

ze zeurde wat over gezelligheid en samen
en delen en uitgaan
terwijl ze de taal vreselijk mishandelde
en waarom had ze haar uiers
zo schaamteloos omhooggeduwd?
haar koffie was slap
en haar cake droog

'als ik ergens een hekel aan heb
zijn het katten'
dat zei ze wel driemaal

ik stond op
pakte mijn jas
en zei:
'ik zorg liever voor tien katten
dan voor één lastig en dom oud wijf.'

DE OVERGEBLEVENE

toen ik vannacht opstond
me aankleedde
naar buiten ging
op weg naar Albert Heijn
liepen er wel erg veel katten op straat
in alle kleuren maten en rassen

op het terrasje van café Eik & Linde
bezetten ze alle rieten stoeltjes
en nepmarmeren tafeltjes
waarop ze zacht en beschaafd
tegen elkaar miauwden

zo verwonderd was ik
en zo gelukkig
mild scheen de zon
medemensen waren in geen straten
of zijstraten te bekennen
geen auto verstoorde deze rust
en in een geruisloos rijdende lijn negen
ontwaarde ik even boven de rand
van de grote ramen

talloze nieuwsgierig kijkende kattenkoppen –
mensen met hun leedbrengende
handelingen miste ik niet

bij de Hortus Botanicus
grote manden vol stapels kranten
die niets dan hiërogliefen meldden
ik trachtte te spreken
warrige klanken verlieten mij:
taal en mensen
voorgoed ontnomen.

STATEMENT

'misschien ben ik alleen op aarde
gekomen om een aantal zwerfkatten
een goed leven te bezorgen'
zei ik tegen Vic van de Reijt
zijn antwoord:
'Frans, er zijn er die voor minder
zijn gekomen.'

INSLAPEN

slaap die niet wil komen
ondanks de chemie van het tabletje

hoe is het mogelijk
pianist Peter Katin
speelt in mijn hoofd
Brahms Intermezzo in bes
mineur, op. 117 no. 2
waarom doet die melodie pijn

hierbij inslapen
zeventig is mooi
denk ik aan de katten
Vlek twintig
Poentje ruim zes
nee!

[Dagboek, 2003]

Verantwoording

Het verhaal 'Het goudgroene oog' verscheen eerder in *De kip die
over de soep vloog* (1989)
Het 'Beeldverhaal' verscheen eerder in *Rijke mensen hebben moeilijke
maten* (1993)
De verhalen 'Een bijrol in een B-film' en 'Poelie de Verschrikkelijke'
verschenen eerder in *De aanraking* (1990)
Het verhaal 'Kat en de liefde' verscheen eerder in *De Tweede Ronde*
(nummer 1, lente 2007)
Alle overige bijdragen in deze bundel verschijnen voor het eerst
in druk.

*Uitgeverij Nijgh & Van Ditmar stelt alles in het werk om op milieuvriendelijke
en duurzame wijze met natuurlijke bronnen om te gaan. Bij de productie van dit
boek is gebruikgemaakt van papier dat het keurmerk van de Forest Stewardship
Council (FSC) mag dragen. Bij dit papier is het zeker dat de productie niet tot
bosvernietiging heeft geleid.*

Mixed Sources
Productgroep uit goed beheerde
bossen, gecontroleerde bronnen
en gerecycled materiaal.
www.fsc.org Cert no. CU-COC-803223
© 1996 Forest Stewardship Council